NEON UNNÜTZES WISSEN

Herausgegeben von Michael Ebert und Timm Klotzek

WILHELM HEYNE VERLAG

MÜNCHEN

Verlagsgruppe Random House FSC® N001967

27. Auflage
Originalausgabe 10/2008
Copyright © 2008 by Wilhelm Heyne Verlag, München
in der Verlagsgruppe Random House GmbH
Printed in Germany
Umschlagillustration: Enite Hoffmann & Falko Ohlmer
Grafik: Jonas Natterer, Ji-Young Ahn
Druck und Bindung: RMO, München
ISBN: 978-3-453-60102-4
www.heyne.de

VORWORT

Unser Gehirn lässt uns regelmäßig verzweifeln. Da besitzen wir ein wirklich komplexes und großartiges Organ, in dem 100 Milliarden Nervenzellen durch 100 Billionen Synapsen miteinander verbunden sind und bis zu 10^{16} analoge Rechenoperationen pro Sekunde bewältigen können. Ein Werkzeug, das ganz ähnlich gebaut zum Beispiel Leo Tolstoi dazu befähigte, »Krieg und Frieden« zu schreiben, oder Johann Sebastian Bach in die Lage versetzte, zeitlos schöne Kantaten zu komponieren, oder Philipp Lahm bei der Fußball-EM 2008 im Halbfinale gegen die Türkei zu der gescheiten Entscheidung führte, den spielentscheidenden Schuss unhaltbar in die kurze Ecke zu setzen. Und dieses großartige Werkzeug hat selbst in unserer vergleichsweise bescheidenen Alltagswelt schon Großartiges geleistet: diese überraschende Drei plus in einer versetzungsrelevanten Mathe-Klausur! Das sensationelle Remis gegen den besten Schachspieler im Stadtpark! Die blitzsaubere Steuererklärung fürs Vorjahr! Die bestechende Argumentation in der Samstagvormittag-Haustür-Diskussion mit den Herren der Zeugen Jehovas (und das trotz üblem Kater!) – es gab schon berechtigte Gründe zur Zufriedenheit.

Aber dann passiert auch so was: Einkaufsliste zuhause vergessen, trotzdem in den Supermarkt gefahren – die Zutaten für »Hühnchen Frank Sinatra« sollten kein Problem sein, haben wir schon hundertmal zubereitet – und dann … verdammt, verdammt, verdammt. Wir wissen, dass da neben Hühnchen, Spaghetti, Limetten, Zitronen, Chili und Knoblauch noch etwas anderes dringend notwendig ist … aber was? Es fällt uns einfach nicht ein.

Nicht dass unser Hirn gerade abgeschaltet hätte, oh nein! Wir könnten jetzt zum Beispiel die 2. Binomische Formel aufsagen (a minus b zum Quadrat ist gleich a zum Quadrat minus zwei mal a mal b plus b zum Quadrat). Oder sämtliche Autos aufzählen, die wir in unserem Leben je besessen haben, und zwar in der richtigen

Reihenfolge! Oder sämtliche unregelmäßig konjugierten französischen Verben benennen. Aber leider hilft uns das jetzt nichts. Wir brauchen diese eine fehlende Zutat zu »Hühnchen Frank Sinatra«, sonst gibt's heute Abend nichts zu essen.

Erstaunlich, wie viel Informationen wir mit uns umherschleppen, die wir so gut wie nie benötigen. Es ist ungefähr so, als würden wir im Hochsommer ständig mit einem Schrankkoffer voll Skiklamotten am Badesee ankommen – und weil wir an diesem Koffer so schwer zu schleppen haben, war es uns unmöglich, auch noch eine Badehose einzupacken. Auch wenn uns Wissenschaftler und Ärzte ständig einreden wollen, dass unser Gehirn eine großartig konzipierte Rechenmaschine sei: Wir haben manchmal den Verdacht, dass es falsche Prioritäten setzt.

Man könnte der NEON-Redaktion nun vorwerfen, diesen Effekt mit der Sammlung »Unnützes Wissen«, die seit fünf Jahren in jeder Ausgabe des Magazins und auf NEON.de steht, noch zu verstärken. Dass wir also mit Informationen wie »Die Nationalhymne Griechenlands umfasst 158 Strophen« oder »Giraffen und Menschen verfügen über dieselbe Anzahl von Halswirbeln« die Gehirne der Leserinnen und Leser so weit fluten, dass diese wesentliche Informationen nicht mehr speichern können.

Tatsächlich ist aber das Gegenteil der Fall. Die Rubrik mag »Unnützes Wissen« heißen. Die Fakten mögen auf den ersten Blick von fragwürdigem Wiederverwertungswert sein. Scheinbar beantworten sie Fragen, die man sich noch nie gestellt hat. Aber nehmen wir nur mal die alltägliche Situation, bei einem Abendessen eingeladen zu sein und dummerweise zwischen zwei Menschen zu sitzen, die man noch nie gesehen hat. Jetzt könnte man natürlich versuchen, eine Unterhaltung mit seinem Fachwissengerümpel zu unregelmäßig konjugierten französischen Verben oder Binomischen Formeln zu beginnen. Viel Glück dabei! Wir sagen einen einschläfernd langweiligen Abend voraus.

Die Alternative? Man wirft zu einem geeigneten Augenblick in die Runde: »Wusstet Ihr, dass das Verbot, im Parlament zu sterben, 2007 zum lächerlichsten Gesetz Großbritanniens gewählt wurde?« Sofort kann sich daraus eine spannende Unterhaltung ergeben: über Gesetze (»Die Reform des Hufbeschlaggesetzes von 1940 wurde vom Deutschen Bundestag 2006 mit einem Papieraufkommen von 20 000 Blatt vollzogen«), über den Tod (»Der Diätexperte Robert Atkins war laut eines medizinischen Berichts zum Zeitpunkt seines Todes übergewichtig«), oder über seltsame Briten (»Die drei Töchter von Bob Geldof heißen Peaches Honeyblossom Michelle Charlotte Angel Vanesssa, Fifi Trixibelle und Pixie Frou-Frou«). Könnte ein lustiges Essen werden.

Anderes Beispiel: Abends in einer Bar beobachtet man einen Menschen, den man dringend mal küssen möchte. Die Kontaktaufnahme gestaltet sich schwierig, Spontanität ist nicht unsere Sache. Aber warum nicht einfach »Unnützes Wissen« zur Hand nehmen, auf den Menschen zutreten und sagen: »Hallo! Ich habe gerade gelesen, dass zwei Drittel aller Menschen die Nase beim Küssen rechts halten … könnten wir das bitte mal prüfen?«

Also … was soll daran jetzt unnütz sein?

Ein letztes Beispiel: Viele von uns können sich bestimmte wichtige Informationen am besten über Eselsbrücken merken. Eselsbrücken funktionieren am besten über einprägsame Fakten. Und diese Fakten sind umso einprägsamer, je unterhaltsamer sie sind. Zum Beispiel soll es Menschen geben, die sich das »Unnütze Wissen« merken, dass auf dem Grabstein von Frank Sinatra steht: »The Best Is Yet To Come«. Das erinnert sie an eine andere Tatsache, ebenfalls notiert in einer Ausgabe des »Unnützen Wissens«: dass der englische Philosoph Francis Bacon an den Folgen einer Unterkühlung starb, die er sich bei dem Versuch zugezogen hatte, ein Huhn durch Ausstopfen mit Schnee haltbar zu machen. Von dieser Geschichte über Hühner und Vergänglichkeit ist es dann nur noch ein kleiner Schritt zu dem Fakt, dass im Alten Testament König Salomon als Zeichen der Vergänglichkeit ausgerechnet die Kaper … Kapern! Was für das Rezept zu »Hühnchen Frank Sinatra« fehlt, sind Kapern!

1. Der Name Frisbee geht auf die Bäckerei »Frisbie« in Connecticut zurück – deren kreisrunde Kuchen-Backformen aus Zinn waren die Vorläufer der fliegenden Plastikscheiben.

2. Am Toten Meer bekommt man weniger schnell Sonnenbrand – es liegt 400 Meter unter dem Meeresspiegel, seine Dunstschicht ist so dick, dass schädliche UV-Strahlen kaum durchdringen.

3. Die ersten Zigaretten von Marlboro wurden mit rosafarbenen Filtern verkauft, damit Lippenstift darauf nicht zu sehen war.

4. Jeder sechste Internist in Deutschland wurde schon mal von Patienten verprügelt.

5. Der Erfinder des Bikini, Louis Réard, war Maschinenbauingenieur.

6. Eine Wanderratte kann sich bis zu 500-mal in sechs Stunden paaren.

7. IN KALBSLEBERWURST IST FÜR GEWÖHNLICH KEINE KALBSLEBER ENTHALTEN.

8. Die Zensur britischer Abiturienten wird um zwei Prozent angehoben, wenn am Tag der Prüfung ihr Haustier stirbt, und um fünf Prozent, wenn ein naher Verwandter stirbt.

9. Bei den olympischen Zwischenspielen 1906 in Athen gewann Deutschland die Goldmedaille im Tauziehen.

10. In Papua-Neuguinea werden über 700 verschiedene Sprachen aus 14 verschiedenen Sprachgruppen gesprochen.

11. Tauben können Bilder von Monet und Picasso am Malstil unterscheiden.

12. Der japanische Toilettenhersteller Toto bietet ein Klo an, das per Greifarm eine Urinprobe nimmt und den Zuckergehalt misst. Im Toilettensitz des Konkurrenten Matsushita stellen Elektroden den Körperfettgehalt fest.

13. Dunkle Schokolade kann den menschlichen Blutdruck senken, weiße Schokolade nicht.

14. Mehr als die Hälfte aller Frauen packt für einen zweiwöchigen Urlaub über 50 Kleidungsstücke ein.

15. Männer, die von der australischen Meeresqualle »Irukandji Jellyfish« genesselt werden, können eine Erektion anschließend deutlich länger halten.

16. Daniel Düsentrieb machte 180 Erfindungen.

17. Radio Finnland sendet jeden Freitag und Samstag Nachrichten auf Latein.

18. Der Amerikaner Dennis Hope ließ sich 1980 beim Grundbuchamt von San Francisco als Besitzer unseres Sonnensystems eintragen – mit Ausnahme der Erde.

19. Greifvögel können ultraviolettes Licht sehen – Mäuse-Urin reflektiert dieses Licht.

20. Uriella, die Gründerin der Sekte Fiat Lux, heißt mit bürgerlichem Namen Erika Bertschinger-Eicke.

21. Wanderer geben im Schnitt 2,50 Euro pro Kilometer aus.

22. **EIN MANN PRODU-ZIERT TÄGLICH 104 MILLIONEN SPERMIEN – ETWA 1200 PRO SEKUNDE.**

23. Wissenschaftler schätzen, dass ungefähr 100 000 Naturkatastrophen im vergangenen Jahrtausend über 15 Millionen Menschen getötet haben.

24. Der Bundesnachrichtendienst hieß früher zur Tarnung offiziell »Bundesvermögensverwaltung, Abteilung Sondervermögen, Außenstelle Pullach«.

25. Am und im menschlichen Körper leben zehnmal mehr Bakterien, als er Zellen hat.

26. Homer J. Simpson heißt mit vollem Namen Homer Jay Simpson.

27. Am Eingang zum Zoo Hannover erkennen Computerkameras die Dauerkarteninhaber am Gesicht.

28. Die Britin Amy Hulmes, die 114 Jahre alt wurde, führte ihr langes Leben auf den täglichen Genuss von Guiness-Bier zurück. Erst mit 84 hatte sie das Rauchen aufgegeben – aus Sorge um ihre Gesundheit.

29. An jedem normalen Schritt eines Menschen sind über 200 Muskeln beteiligt.

30. Der russische Kosmonaut Sergej Wasilijewitsch Awdejew verbrachte auf drei Mir-Einsätzen 747,59 Tage im All.

31. Die giftigste Schlange der Welt, der Australische Inlandtaipan, könnte mit einem Biss 250 000 Mäuse oder mindestens 44 Menschen töten.

32. Der Koala ist das faulste Tier der Welt: Er schläft täglich rund 20 Stunden.

33. Die Inselgruppe Tuvalu im Südpazifik, berühmt durch die Internet-Domain ».tv«, besteht aus neun Korallenatollen und hat 11 468 Einwohner.

34. Ein ausgewachsener Oktopus zwängt sich mühelos durch ein Loch von der Größe eines Zweieurostücks.

35. 1974 bis 1978 herrschte Krieg zwischen der Kahama-Gruppe und der Kasakela-Familie in Tansania. Die Kahamas wollten sich im Süden des Kasakela-Gebietes ein Wohngebiet sichern. Die Kasakelas verfolgten und töteten die Kahamas bis zur Ausrottung … die Rede ist von Schimpansen.

36. SEINE BERÜHMTEN LETZTEN WORTE AN BRUTUS »AUCH DU, MEIN SOHN?« SAGTE CÄSAR AUF GRIECHISCH.

37. In Alaska gibt es fast so viele Flugzeuge wie Autos.

38. Eine britische Professorin hat die Formel für den perfekten Spielfilm gefunden: 31 Prozent Action, 17 Prozent Comedy, 13 Prozent Gut-gegen-Böse, 10 Prozent Special Effects, 10 Prozent Handlung und 8 Prozent Musik.

39. Königspinguine können bis zu 535 Meter tief tauchen.

40. Die Aufklärungsquote der bekannt gewordenen Morde lag 2003 in Deutschland bei 95,6 Prozent, für Wohnungs-Einbruchdiebstahl bei 18 Prozent.

41. Fünf Kilo Oliven ergeben etwa einen Liter Olivenöl.

42. EIN MENSCH GEHT AM TAG DURCH- SCHNITTLICH 6000 SCHRITTE ZU FUSS, ALSO IM LAUFE SEINES LEBENS VIERMAL UM DIE ERDE.

43. Der Kaufhauserpresser »Dagobert« entkam der Polizei einmal dadurch, dass der Beamte, der ihn schon am Kragen gepackt hatte, auf einem Hundehaufen ausrutschte.

44. Der Mensch ist das einzige Lebewesen, das weint. Eine Träne wiegt etwa fünfzehn Milligramm. In seinem Leben heult jeder Mensch etwa eine Badewanne voll.

45. Eine deutsche Studie prüfte die Trefferquote von Wahrsagungen – sie liegt bei vier Prozent.

46. Ein Psychologe der englischen Universität Hertfordshire hat per Internetabstimmung den angeblich lustigsten Witz der Welt ermittelt. Und der geht so: Zwei Jäger gehen durch den Wald. Plötzlich bricht einer von ihnen zusammen. Der andere Jäger ruft den Notarzt an: »Mein Freund ist tot. Was soll ich machen?« Der Notarzt: »Vergewissern Sie sich zuerst, dass er wirklich tot ist.« Daraufhin ertönt ein Schuss. »Okay«, sagt der Jäger zum Notarzt, »und jetzt?«.

47. Der einzige europäische Lehrfriedhof für Bestatter liegt in Münnerstadt in Unterfranken.

48. **DER WELTREKORD IM KIRSCH-KERN-WEITSPUCKEN STEHT BEI 21,71 METERN.**

49. Laut einer wissenschaftlichen Theorie entwickelten Menschen den aufrechten Gang, um die dornigen Äste der Akazie als Waffe benutzen zu können.

50. Die Enterprise-Stars William Shatner und Patrick Stewart besitzen Grundstücke auf dem Mond.

51. Der Wisent – eng mit dem Bison verwandt – ist das größte Landsäugetier Europas.

52. Ursprünglich lagen beim Thermometer der Siedepunkt bei 0 Grad und der Gefrierpunkt bei 100 Grad Celsius.

53. Auf der Erde ereignen sich jährlich mehr als eine Million Erdbeben – rund 2000 verursachen merkliche Schäden.

54. Die erste lila Kuh hieß Adelheid. Ihr Besitzer bekam pro »Milka«-Werbespot zwischen 500 und 800 Schweizer Franken.

55. Der elfjährige Frank Epperson erfand 1905 das Eis am Stiel, indem er ein Glas Limonade mit einem Löffel darin versehentlich im Freien stehen ließ – über Nacht gefror die Limo.

56. 1989 gewann Greg Lemond die Tour de France mit Schrotkugeln im Körper. Bei einem Jagdausflug hatte sein Schwager ihn mit einem Truthahn verwechselt.

57. Der Tequila-Wurm ist in Wahrheit eine Raupe – die Maguey-Schmetterlingslarve. Sie schwimmt in einigen mexikanischen Schnapsflaschen, aber nie in Tequila.

58. Coca-Cola war ursprünglich eine Medizin gegen Magenverstimmungen und Kopfschmerzen.

59. Der Penis eines Gorillas ist etwa fünf Zentimeter lang, der des Blauwals rund 2,5 Meter.

60. George Bush und Saddam Hussein hatten denselben Schuster: Artioli aus der Nähe von Mailand.

61. Hitler erschoss sich mit einer Pistole des Kalibers 7.65 mm.

62.   Tintenfische können die Farben ihrer Umgebung annehmen, obwohl sie farbenblind sind.

63.   Ein Kamel kann in 15 Minuten 200 Liter Wasser trinken.

64.   Los Angeles heißt mit vollem Namen El Pueblo de Nuestra Señora la Reina de los Angeles del Río de Porciúncula.

65.   Astronauten können nicht rülpsen – Kohlendioxid findet in der Schwerelosigkeit keinen Weg nach oben.

66.   Das lauteste Geräusch im Tierreich erzeugt der Pistolenkrebs. Seine Knallschere erreicht 150 bis 200 Dezibel – das ist etwa so laut wie ein startender Düsenjet. Mit dem Krach kann der Krebs Beutetiere töten.

67.   Der Sektenführer Sri Chimnoy hat in den letzten 15 Jahren angeblich 400 Bücher geschrieben, 3000 Lieder komponiert und 130 000 Bilder gemalt.

68.   Der schnellste Fisch der Welt ist der Schwarze Marlin – er schafft die 100 Meter in unter drei Sekunden.

69.   Nachdem der Amerikaner Richard Halliburton 1928 den Panamakanal in ganzer Länge durchschwommen hatte, musste er 36 Cent Gebühr für die Durchquerung bezahlen. Er wurde wie ein Wasserfahrzeug nach Tonnage eingestuft.

70.   Weil eine Möwe am Zürichsee seinem Architekten ein Stück Brot aus der Hand gepickt hatte, nannte der Schweizer Ueli Prager sein erstes Restaurant »Mövenpick«.

71.   1935 kam in Richmond, Virginia, das erste Dosenbier der Welt auf den Markt.

72. Die Einheit für die Stärke eines Geruchs heißt »Olf«; ein Olf ist die Geruchsstärke, die von einem Menschen mit 0,7 Duschbädern am Tag ausgeht.

73. Wer unter der krankhaften Angst leidet, man sähe seine Erektion an einer Ausbeulung der Hose, ist Medecophobiker.

74. Den kleinsten Geldschein Deutschlands gab die Stadt Kassel als Notgeld während der Inflation 1923 aus. Er war mit 314,16 Quadratmillimetern kaum so groß wie eine Briefmarke und hatte den Wert eines Pfennigs.

75. In New York leben mehr Italiener als in Rom, mehr Iren als in Dublin und mehr Schwarze als in jeder anderen Stadt der Welt.

76. Antoine de Choudens, François Bernard, Antoine Cayrol, Tina Sjögren und Thomas Sjögren haben als einzige Menschen den Südpol, den Nordpol und den Gipfel des Mount Everest erreicht.

77. Die Symbole + für Addition und – für Subtraktion kamen erst 1489 in Gebrauch.

78. ALBATROSSE LEGEN 950 KILOMETER AM TAG ZURÜCK.

79. Der Erdölkonzern Shell begann als kleiner Laden in London – er verkaufte Muscheln.

80. Fußballfans randalieren bei Siegen ihrer Mannschaft häufiger als bei Niederlagen.

81. Der 78-jährige Spanier Justo Gallego Martinez baut seit 40 Jahren allein eine Kirche.

82. **DIE OZEANE SIND IM DURCHSCHNITT 3990 METER TIEF.**

83.   Vor dem Tod von »Problembär« Bruno 2006 wurde in Deutschland 171 Jahre lang kein wilder Bär erlegt.

84.   In Lynchburg, Tennessee, wo Jack Daniel's Whiskey hergestellt wird, herrscht Alkoholverbot.

85.   Der internationale Hilferuf »Mayday« bedeutet unter Sadomasochisten: »Die Schmerzgrenze ist überschritten – sofort aufhören«.

86.   Elefanten wachsen ihr ganzes Leben lang.

87.   SÜDAFRIKA HAT ELF LANDESSPRACHEN.

88.   Am 16. Juli 1935 wurden in Oklahoma City die ersten Parkuhren aufgestellt.

89.   Mit dem Kopf gegen die Wand zu schlagen, verbraucht pro Stunde 150 Kalorien.

90.   Das Wort »Kanada« bedeutet ursprünglich »großes Dorf«.

91.   In der McMurdo-Antarktis-Station steht ein Geldautomat.

92.   Ameisenbären fressen deutlich mehr Termiten als Ameisen.

93.   Vier von fünf Menschen atmen hauptsächlich durch ein Nasenloch – die Nasenlöcher wechseln sich vermutlich stündlich ab.

94.   Die Küstenseeschwalbe fliegt jedes Jahr fast 40 000 Kilometer – von der Arktis in die Antarktis und zurück.

95. Küchenschaben gab es schon vor den Dinosauriern.

96. 1995 hat das American College of Cardiology die Alkohol-abstinenz in die Liste der Risikofaktoren für Herz-Kreislauf-Erkrankungen aufgenommen.

97. Das Jo-Jo war ursprünglich eine philippinische Waffe: Der Jäger band ein Seil um einen Stein, kletterte auf einen Baum und schleuderte den Stein auf ein Wildschwein. Wenn er sein Ziel verfehlte, konnte er den Stein wieder hinaufziehen.

98. Zwischen 235 und 285 nach Christus regierten mehr als 20 römische Kaiser – nur einer starb eines natürlichen Todes.

99. Im Amazonas leben rosafarbene Delfine.

100. Die Tür zur Downing Street No. 10, dem Sitz des englischen Premierministers, kann nur von innen geöffnet werden.

101. Die Nationalhymne von Griechenland umfasst 158 Strophen – gesungen werden in der Regel nur die ersten zwei.

102. Nur zehn bis 20 Prozent der Lacher folgen einer witzig gemeinten Bemerkung.

103. Die Zahl Pi ist am Computer auf zwei Milliarden Stellen genau berechnet worden.

104. Tesafilm wurde 1882 von Paul Beiersdorf eigentlich als Heftpflaster entwickelt – allerdings reizte die Klebstoffschicht die Haut und verkaufte sich schlecht.

105. Nelson Mandela heißt eigentlich Rolihlahla Mandela – übersetzt heißt das »Unruhestifter«.

106. Die Ohren der Laubheuschrecke sitzen unter ihren Knien.

107. Afri-Cola war bis zum Zweiten Weltkrieg das in Europa meistverkaufte Colagetränk.

108. Bei der ersten Herztransplantation 1967 wurde das Herz der 24-jährigen Denise Darvall verpflanzt, die beim Überqueren einer Straße von einem Lastwagen erfasst worden war. Das Herz wird heute noch im damaligen OP in Kapstadt ausgestellt.

109. DAS HIRN DER NEANDER-TALER WAR GRÖSSER ALS DAS DER HEUTIGEN MENSCHEN.

110. Das längste Musikstück der Welt dauert 639 Jahre – seit 2001 wird die John-Cage-Komposition aufgeführt.

111. Die Redewendung »die Arschkarte ziehen« stammt aus der Zeit, als das Fernsehen noch in Schwarzweiß sendete: Damit Zuschauer bei der Übertragung eines Fußballspiels die gelbe Karte von der roten unterscheiden konnten, zog der Schiedsrichter die rote Karte aus der Gesäßtasche.

112. In Kenia leben Elefanten, die das Geräusch vorbeifahrender Lastwagen imitieren können.

113. Beinhaare von Frauen wachsen pro Monat um 0,635 Zentimeter – nur ausgerechnet im Sommer etwas schneller.

114. Telefone und Computer verbrauchen in deutschen Wohnungen inzwischen mehr Strom als die Beleuchtung.

115. Schluckauf hat man schon im Mutterleib.

116.   Die größte bislang gefundene Primzahl lautet 2 hoch 25 964 951 minus 1. Sie hat mehr als 7,8 Millionen Stellen.

117.   Die Formulierung »Zeit ist Geld« stammt aus dem Buch »Advice to Young Tradesmen«, das Benjamin Franklin 1748 schrieb.

118.   Das Wort Müsli entstand 1900 in der Schweiz als Verkleinerungsform von Mus: So nannte der Arzt Maximilian Oskar Bircher-Benner seinen Brei aus Getreideflocken, einem zerriebenen Apfel, Milch und Zitronensaft.

119.   Die Mafia ist das größte Wirtschaftsunternehmen Italiens. Laut eines führenden Ermittlers macht sie mittlerweile 100 Milliarden Euro Umsatz – doppelt so viel wie Fiat.

120.   Wer auf öffentlichen Toiletten nicht pinkeln kann, leidet unter Paruresis, auch »schüchterne Blase« genannt.

121.   In jeder Tüte ist ein Drittel der Gummibärchen rot, aber nur je ein Sechstel grün, gelb, weiß oder orange.

122. BODYBUILDING HIESS IN DER DDR »KÖRPERKULTURISTIK«.

123.   Ein Hai kann Blut in Wasser bei einer Verdünnung von 1 zu 100 Millionen wahrnehmen.

124.   Weil die Zwischenwirbelscheiben tagsüber Flüssigkeit verlieren, sind wir abends bis zu drei Zentimeter kleiner als morgens.

125.   Es gibt Schleimpilze fressende Schwammkugelkäfer, die nach amerikanischen Regierungsmitgliedern benannt sind: Agathidium bushi, Agathidium cheneyi und Agathidium rumsfeldi.

126. Eine 60-Watt-Glühbirne leuchtet, wenn man sie in eine Mikrowelle legt – aber Vorsicht: Anschließend platzt sie.

127. Der Sex von Schimpansen dauert im Schnitt sieben bis acht Sekunden, Präriewühlmäuse halten bis zu 40 Stunden durch.

128. Im 19. Jahrhundert gab es in den USA auch schwarze Sklavenhalter.

129. In Deutschland gibt es etwa 20 Millionen Verkehrsschilder – alle 28 Meter eines. Nicht mit eingerechnet sind die 3,5 Millionen Wegweiser.

130. POLYPEN HABEN NUR EINE KÖRPERÖFFNUNG, DIE MUND UND AFTER ZUGLEICH IST.

131. Bei den olympischen Spielen 1896 in Athen starteten alle Sprinter außer den US-Amerikanern im Stehen. Die amerikanischen Läufer gewannen mit dem zunächst belächelten Tiefstart fast alle Wettbewerbe.

132. Beim Bau der Pyramiden Cheops, Chefren und Mykernios in Gizeh durfte jeder Arbeiter zwei Bier pro Tag trinken.

133. 1976 schrieb der Programmierer des ersten Heim-PCs einen offenen Brief, worin er sich über die illegale Weiterverbreitung von Software empörte. Er hieß Bill Gates.

134. 95 Prozent des Meeres sind noch unerforscht.

135. Der Klebstoff auf israelischen Briefmarken ist garantiert koscher.

136. Kein Spieler hat in der Fußball-Bundesliga mehr gelbe Karten gesehen als Stefan Effenberg, nämlich 114.

137. Fast zwei Drittel aller Astronauten müssen sich übergeben, wenn sie im Weltall das erste Mal in der Schwerelosigkeit ankommen.

138. Das erste Land, in dem Frauen wählen durften, war Neuseeland (1893).

139. Bis 1903 enthielt ein Liter Coca-Cola etwa 250 Milligramm Kokain.

140. Das Volk der Fore in Neuguinea hat sich vor 40 Jahren selbst dezimiert. Sie starben an der Lachkrankheit Kuru, die durch das Essen von Menschenfleisch übertragen wird.

141. Das größte Weinfass der Welt fasst 222000 Liter und steht im Schloss Heidelberg.

142. In Alabama steht das einzige Denkmal der Welt für einen Pflanzenschädling. Der Rüsselkäfer vernichtete einst Baumwollplantagen und zwang die Farmer, endlich auf Mehrkulturen-Landwirtschaft umzusteigen.

143. Die Flagge der Dominikanischen Republik ist die einzige, die eine Bibel zeigt.

144. Am Gewicht gemessen, ist ein Fast-Food-Hamburger teurer als ein neuer Kleinwagen.

145. Ein Formel-1-Rennwagen könnte wegen des Ansaugdrucks auf die Fahrbahn auch kopfüber an einer Zimmerdecke entlang fahren – bei mindestens 130 Stundenkilometer.

146.   Menschen stückeln den Atem beim Lachen in je 1/15-Sekunde lange Stöße, die sich alle 1/5-Sekunde wiederholen.

147.   Wenn sich ein Frosch übergibt, kommt sein ganzer Magen mit heraus. Sobald der Magen leer ist, muss der Frosch ihn wieder hinunterschlucken.

148.   Kaugummi wurde in den USA so beliebt, weil William Wrigley ihn kostenlos zu jeder Dose Backpulver beilegen ließ.

149.   Das Eisbein heißt Eisbein, weil früher aus den Röhrenknochen der Schweine auch Schlittschuhe hergestellt wurden.

150.   Die Argentinische Ruderente kommt auf eine Penislänge von bis zu 42,5 Zentimetern – die Ente selbst ist nur 40 Zentimeter groß.

151.   Ab 67 Metern Wassertiefe wird Pressluft giftig und kann bei Tauchern Schlaganfälle und Krämpfe auslösen.

152.   Am 9. September 1950 um 19 Uhr lief in der »Hank McCune Show« zum ersten Mal im Fernsehen künstliches Gelächter vom Band.

153.   Sieben von zehn Todesopfern von Flugzeugabstürzen sterben an Rauchvergiftungen.

154.   Franzosen essen 500 Millionen Schnecken im Jahr.

155.   In öffentlichen Toiletten wird das Klo, das dem Ausgang am nächsten liegt, am wenigsten benutzt, das mittlere am häufigsten.

156.   Ein Hamburger hieß in der DDR »Grilleta«.

157. Weniger als 100 Menschen sprechen noch »Unserdeutsch«, die einzige dem Deutschen entsprungene Kreolsprache. Textprobe: »I bezeugen, O mein Gott, Du has geschaffen mi, fi erkennen du und fi beten zu du.«

158. 1913 kamen bei der Tour de France von 140 Startern nur 25 ins Ziel.

159. Die Königin der Nacktmulle hält sich zwei bis drei Liebhaber, verbietet ihren Untertanen aber jeglichen Sex.

160. DAS EIGELB ENTHÄLT MEHR EIWEISS ALS DAS EIWEISS.

161. Der Gründer der Obi-Kette hatte das Geschäftskonzept drei Franzosen abgekauft. Die Franzosen wollten den Markt »hobby« nennen, konnten das H aber nicht aussprechen.

162. Im alten Ägypten wurde mit Krokodilmist verhütet.

163. 120 Wassertropfen füllen einen Teelöffel.

164. Der Mensch hat im Mund mehr Bakterien als im After.

165. Der schnellste Tornado, der je gemessen wurde, erreichte 1999 in Oklahoma eine Windgeschwindigkeit von 510 Stundenkilometern.

166. Ungarn exportiert mehr Nilpferde als jedes andere europäische Land.

167. Der Erfinder der Jeans, Levi Strauss, wurde in Buttenheim bei Bamberg geboren.

168. BULGARIEN HEISST »LAND DER VULGÄREN«.

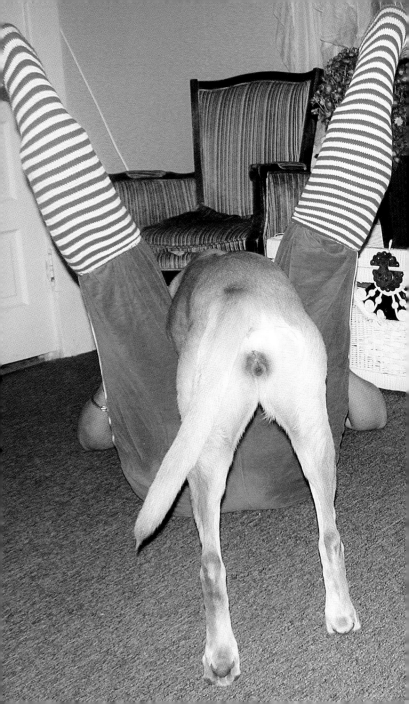

169. Der Film »Fargo« hieß in Hongkong »Mysterious Murder in Snowy Cream«.

170. WENN TORHÜTER WÄHREND EINES FUSSBALLSPIELS AUFS KLO MÜSSEN, WIRD DAS SPIEL ANGEHALTEN, BEI FELDSPIELERN LÄUFT DAS SPIEL WEITER.

171. Obwohl der Buddhismus in Indien seinen Ursprung hat, sind nur ein Prozent der Inder Buddhisten.

172. Das Gürteltier ist neben dem Menschen das einzige Säugetier, das an Lepra erkranken kann.

173. Hündinnen können von mehreren Hunden gleichzeitig schwanger werden.

174. Im Juli 1945 krachte ein B-25-Bomber wegen eines Navigationsfehlers in den 79. Stock des Empire State Buildings.

175. In der Bibel stand ursprünglich kein Wort davon, dass Adam und Eva im Paradies einen Apfel aßen. Der Baum der Erkenntnis dürfte eher ein Feigenbaum gewesen sein.

176. Die erste E-Mail wurde 1971 verschickt.

177. Jedes Jahr fallen rund 20 000 Meteoriten auf die Erde. Die meisten von ihnen sind kaum größer als Kieselsteine.

178. Der Name »Philipp« bedeutet Pferdeliebhaber.

179. Drei von vier deutschen Gynäkologen sind Männer.

180. Weißrussland ist der einzige Staat in Europa, in dem es noch die Todesstrafe gibt.

181. Um ein Frettchen künstlich zu beatmen, schwenken Tierärzte es in der Luft hin und her. Für ein Pferd benutzen sie einen Ventilator oder springen ihm auf den Bauch.

182. Im Mittelalter hielt man sich beim Gähnen die Hand vor den Mund, weil man glaubte, durch den offenen Mund könne die Seele aus dem Körper hinaus- und Dämonen hereinfahren.

183. Die Redewendung »Es zieht wie Hechtsuppe« ist aus dem Jiddischen abgeleitet: »Hech Soppa« bedeutet in etwa »wie starker Wind«.

184. Der Tsunami im Dezember 2004 hat so viel Energie freigesetzt, wie die USA in sechs Monaten verbrauchen.

185. Auf schwedischen Straßen galt bis zum 3. September 1967 Linksverkehr.

186. Mit den ersten Kreditkarten der Welt konnte man 1950 nur in 27 Restaurants zahlen.

187. Der Weltrekord im Dauerschluckauf liegt bei 69 Jahren.

188. 90 Prozent der Deutschen zahlen in ihrem Leben mehr Zinsen, als sie erhalten.

189. Asiaten werden schneller seekrank als Europäer.

190. In Turkmenistan gehört es seit Sommer 2004 zum Führerscheintest, Fragen über die spirituellen Erbauungsschriften des Präsidenten zu beantworten.

191. Leise Fürze stinken in der Regel mehr als laute.

192. Papst Johannes Paul II. hat in seiner Amtszeit mehr offizielle Exorzisten benannt als jeder andere Papst der Neuzeit.

193. Die NPD lässt ihre Parteizeitung »Deutsche Stimme« in Polen drucken.

194. Ein Mondtag dauert 14 Tage, 18 Stunden, 22 Minuten und 2 Sekunden. Eine Mondnacht dauert genauso lang.

195. Alexander der Große war 1,50 Meter groß.

196. Den Straftatbestand »Beamtenbeleidigung« gibt es im Strafgesetzbuch gar nicht.

197. BEZAHLEN MIT KLEINGELD: NIEMAND IST VERPFLICHTET, MEHR ALS 50 MÜNZEN AUF EINMAL ANZUNEHMEN.

198. Paart sich eine Pferdestute mit einem Eselhengst, entsteht ein Maultier. Pferdehengst und Eselstute produzieren Maulesel.

199. In alten Hollywoodfilmen wurde Schnee durch angemalte Cornflakes simuliert. Allerdings fielen sie so laut, dass der Dialog nachsynchronisiert werden musste. Chemischer Schnee wurde zum ersten Mal 1946 in »Ist das Leben nicht schön?« eingesetzt.

200. Wenn man 37,037 mit einer einstelligen Zahl multipliziert und das Produkt danach mit 3, wird jede Ziffer des Ergebnisses die beliebige einstellige Zahl vom Anfang sein.

201. Brustvergrößerungen bei unter 19-jährigen Amerikanerinnen sind von 2002 bis 2003 um das Dreifache angestiegen.

202. Fische können Herpes bekommen.

203. Humphrey Bogarts letzte Worte: »Ich hätte nicht vom Scotch zu den Martinis wechseln sollen.«

204. Das Land mit dem kleinsten Eisenbahnnetz der Welt ist der Vatikan. Die Anschlussgleise an das Netz der italienischen Bahn sind nur etwa 600 Meter lang.

205. Der größte bekannte Regentropfen der Welt hatte einen Durchmesser von neun Millimetern und wurde bei einem Gewitter in Illinois fotografiert.

206. Das hawaiianische Alphabet hat zwölf Buchstaben: a, e, i, o, u, p, k, m, n, w, l und h.

207. Der Ort auf der Welt mit dem vermutlich längsten Namen ist ein kleiner Berg in Neuseeland, der Taumatawhakatangihangakoauauotamateaturipukakapikimaungahoronukupokaiwhenuakitanatahu heißt.

208. Ratten können nicht kotzen. Darum funktioniert Rattengift so gut.

209. Die Titanic war 22,5 Knoten (41,6 Stundenkilometer) schnell, als sie den Eisberg rammte.

210. Der kürzeste Krieg aller Zeiten dauerte nur 38 Minuten und wurde 1896 zwischen Großbritannien und Sansibar geführt.

211. Die Weihnachtsinseln haben die Vorwahl 006724.

212. **UNSER KÖRPER GIBT TÄGLICH MINDESTENS EINEN HALBEN LITER SCHWEISS AB, BEI ANSTRENGUNG BIS ZU ZWEI LITER IN DER STUNDE.**

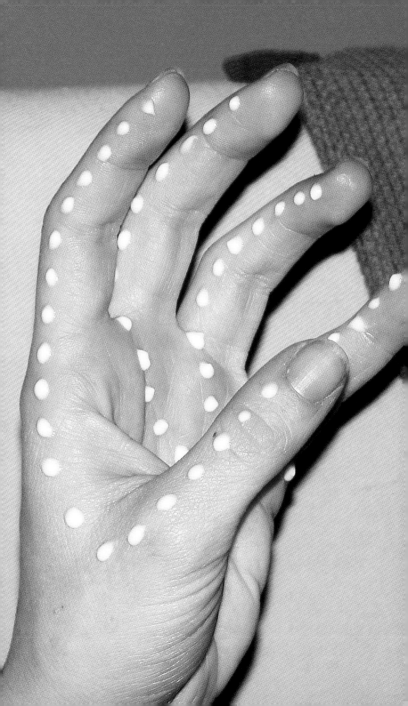

213. Das Kondom wurde benannt nach dem Earl Of Condom, Leibarzt des englischen Königs Charles II.

214. AUF DEM MOUNT EVEREST SIEDET WASSER SCHON BEI ETWA 70 GRAD.

215. Um ihren Energiebedarf allein durch Mäuse zu decken, müsste eine Katze 8 bis 15 Mäuse pro Tag fressen. Eine Maus hat etwa 30 kcal.

216. Pro Tag werden in Deutschland etwa 363 Millionen Zigaretten geraucht.

217. See-Elefanten können 1500 Meter tief tauchen.

218. Ein US-Raumfahrer heißt »Astronaut«, ein russischer »Kosmonaut«, ein chinesischer »Taikongnaut«.

219. Der klarste See der Welt ist der Mashusee in Japan. Die Sicht reicht bis 42 Meter Tiefe.

220. Ein Opossum hat dreizehn Nippel.

221. Für den Philosophen René Descartes stellten schielende Frauen einen Fetisch dar.

222. Die Farbe, mit der das Weiße Haus in Washington gestrichen ist, kommt aus Diedorf in Bayern.

223. Mit bloßem Auge kann man von der Erde aus nur 6800 Sterne sehen – wenn man alle Sterne am nördlichen und südlichen Himmel zusammenzählt.

224. Das erste Kreuzworträtsel der Welt erschien im Dezember 1913 in der »New York World«.

225. Sean Connery ist jünger als sein James-Bond-Nachfolger Roger Moore.

226. Im Verhältnis zur Einwohnerzahl hat Island die meisten Nobelpreise gewonnen.

227. Pythagoras begründete eine Religion, deren Mitglieder keine Bohnen anfassen durften.

228. In 62 Ländern der Welt gilt Linksverkehr.

229. Die Zahl der Badegäste auf Martha's Vineyard, wo »Der weiße Hai« spielt, stieg nach dem Erfolg des Films um zwei Drittel.

230. Herta Däubler-Gmelin verkauft Regenschirme auf ihrer Website.

231. Blitze bewegen sich von unten nach oben.

232. Der Maler Caravaggio tötete einen Mann bei einem Streit während eines Tennisspiels.

233. 25 Schrauben halten den VW-Käfer von 1960 zusammen.

234. Panamahüte werden in Ecuador gefertigt.

235. Strichcodes auf Artikeln deutscher Hersteller beginnen immer mit 40, 41, 42 oder 43.

236. Eichen transportieren Pflanzensaft mit einer Geschwindigkeit von bis zu vierzig Metern pro Stunde durch den Baum.

237.   Das Baby auf dem Cover des Nirvana-Albums »Nevermind« heißt Spencer Eldon.

238.   Ein Gegenstand ist am Äquator um 0,3 Prozent leichter als am Nordpol.

239.   Zehn CDs können in einem Regal auf 3 628 800 Arten arrangiert werden.

240.   Krokodile fressen Steine, um tiefer tauchen zu können.

241.   Japanisch »Nin-ten« steht für »Arbeite hart, aber überlasse den Rest dem Schicksal«, die Silbe »do« heißt »Laden«.

242. DIE FREIHEITSSTATUE HAT NACH DEUTSCHEM MASS SCHUHGRÖSSE 3500.

243.   Die Chinesische Rotbauchunke (Bombina orientalis) hat herzförmige Pupillen.

244.   Das Weissagen aus Eiern nennt man Ovomantie.

245.   Die Black Box in einem Flugzeug ist nicht schwarz, sondern orange, damit man sie nach einem Absturz besser findet.

246.   2003 wurden in Deutschland 185 350 Tonnen Tiefkühlpizza gegessen.

247.   Der Schauspieler Michael Keaton heißt mit richtigem Namen Michael Douglas.

248.   Preis der Cyrobank München für die Verwahrung von

Spendersamen in kaltem Flüssigstickstoff: 230 Euro pro Jahr.

249. Das Bundeskanzleramt hat dreizehn Wintergärten.

250. 45 Prozent der US-Amerikaner glauben nicht an die Evolution, sondern dass Gott die Menschen vor 10 000 Jahren erschaffen hat.

251. Katzenurin leuchtet unter Schwarzlicht.

252. Kein Verhaltensforscher hat je beobachtet, dass der Vogel Strauß seinen Kopf in den Sand steckt.

253. Die Helme des Elektroduos Daft Punk wurden von der Firma LED Effects in Kalifornien angefertigt.

254. Eine Boeing 747 besteht aus ca. 6 Millionen Einzelteilen.

255. Heringe kommunizieren durch Furzen.

256. Zur 2500-Jahr-Feier seines Landes 1971 ließ der Schah von Persien 50 000 Singvögel einfliegen. Aufgrund der Hitze waren drei Tage später alle Vögel verendet.

257. Die menschliche Ohrmuschel wächst pro Jahr ca. 0,2 Millimeter.

258. Ein Bonsai-Gewächs, das kleiner ist als sieben Zentimeter, wird Mame genannt.

259. Der Brauch des Fünfuhrtees der Briten geht auf Anna Duchess of Bedford zurück, die diese Sitte 1840 einführte.

260. Elefanten lassen bis zu 30 Kilogramm Kot auf einmal ab.

261.   Mit 55 Millionen Euro ist die »Mystische Geburt Christi« von Botticelli das am teuersten versicherte Gemälde der Welt.

262.   Der erste Döner in Deutschland wurde 1971 in Berlin verkauft.

263.   40 Prozent aller Herzinfarkte treten zwischen 6 und 12 Uhr auf.

264.   Von den 4,5 Millionen Einwohnern Norwegens bekommen circa 800 000 eine Winterdepression.

265. DONALD DUCKS ZWEITER NAME LAUTET FAUNTLEROY.

266.   Im Ausland wird Ötzi auch als Frozen Fritz bezeichnet.

267.   American Airlines sparte einmal 40 000 Dollar im Jahr, indem sie eine Olive weniger in ihren Salaten servierte.

268.   Die Angst vorm Küssen heißt Philemaphobie.

269.   Das Lied »Happy Birthday to you« spontan bei öffentlichen Auftritten zu singen, ist in den USA verboten, da der Konzern TimeWarner bis 2030 das Copyright an dem Song besitzt.

270.   Das Königreich von OZ hat seinen Namen – laut seines Erfinders L. Frank Baum – von einem Karteikasten mit der Beschriftung »O–Z«.

271.   Der tiefste Fall, den je ein Mensch überlebt hat, ging über zehn Kilometer. Die Stewardess Vesna Vulovic war aus dem Flugzeug geschleudert worden.

272.　Die Weissagungstechnik, aus Eingeweiden von Tieren zu lesen, heißt Haruspizium.

273.　12,6 Prozent der Fläche Deutschlands sind zugebaut.

274.　Apple-Chef Steve Jobs verdient in seiner Firma einen Dollar im Jahr.

275.　Eine Peitsche knallt, wenn das Ende beim Schwingen Schallgeschwindigkeit erreicht.

276.　Seit 1983 hat der weibliche Brustumfang in Deutschland um durchschnittlich vier Zentimeter zugenommen.

277.　Reinhold Messner fror sich auf dem Mount Everest drei Zehen ab.

278.　Termiten erkennen die Größe eines Holzstücks anhand ihrer Kaugeräusche.

279.　Johann Wolfgang von Goethes Schauspiel »Faust I« wurde 1867 das erste Paperback der Geschichte.

280.　Ein Hai verschleißt in seinem Leben bis zu 20 000 Zähne.

281.　Otto Schily sammelt Zuckerstücke.

282.　6 000 000 000 000 000 000 000 Tonnen wiegt die Erde.

283.　Der Schauspieler John Wayne hieß eigentlich Marion Morrison.

284.　Jedes Jahr werden in den USA 15 000 Exemplare von »Mein Kampf« verkauft.

285. **DIE ANTIBABYPILLE SOLLTE URSPRÜNG-LICH UNFRUCHTBARE FRAUEN FRUCHTBAR MACHEN.**

286. In Sambia ist es verboten, Pygmäen zu fotografieren.

287. Die Weltgesundheitsbehörde strich erst im Jahr 1992 Homosexualität von der Liste der Krankheiten.

288. Die menschlichen Drüsen produzieren einen Liter Speichel pro Tag.

289. Jack the Ripper war Linkshänder.

290. Unsere Teebeutel bestehen in der Regel aus den Blattfasern einer Bananenstaude.

291. MEISTER PROPER HEISST IN SPANIEN DON LIMPIO.

292. Die Online-Dating-Börse für Weinliebhaber in den USA heißt grapedates.com.

293. George Foreman hat fünf Söhne, die alle George heißen.

294. Das Rote Meer verdankt seinen Namen einem Schreibfehler, in dem aus »Reed Sea« (Schilfmeer) Red Sea wurde.

295. Buddhas letzte Mahlzeit waren Trüffel.

296. Kylie Minogue ist 153 cm groß.

297. Auf indischen Rupienscheinen sind 14 verschiedene Schriften.

298. Glucodermaphobie ist die Angst vor Haut, die sich auf Kakao bildet.

299. 1999 hat Disney 3,4 Millionen Videokassetten von »Bernard und Bianca« zurückgerufen, weil in zwei Einzelbilder das Foto einer nackten Frau einmontiert war.

300. Frauen weinen fünfmal so oft wie Männer, meistens zwischen 19 und 22 Uhr.

301. Traditionelle venezianische Gondeln werden aus sieben verschiedenen Hölzern gezimmert: Eiche, Nussbaum, Ulme, Lärche, Mahagoni, Tanne und Kirsche.

302. Nach eigenen Angaben bietet Starbucks weltweit 55 000 verschiedene Getränke an.

303. Die älteste Windhundrasse ist die ringelschwänzige-stehohrige Variante.

304. Ein Steinwayflügel besteht aus 12 000 Einzelteilen.

305. Die Eiscreme-Marke »Häagen-Dasz« wurde in der Bronx gegründet.

306. NIEMAND REGIERTE JE KÜRZER ALS LUIS FILIPE VON PORTUGAL. ER STARB 1908 DURCH EIN ATTENTAT – 20 MINUTEN NACH SEINEM VATER.

307. In den USA gibt es 8,9 Mio. Millionäre.

308. Jeder zehnte deutsche Internetnutzer hat ein Produkt aus einer Spammail bestellt. Und jeder siebte User hat im Internet einen Partner gefunden.

309. Australien ist der einzige Kontinent ohne Gletscher.

310. Bruce Willis wurde in Idar-Oberstein geboren.

311. Nur Menschen und Affen haben einen Bauchnabel.

312. Der höchste Punkt der Niederlande ist der Gipfel des Vaalserbergs mit 321 Metern.

313. Die Redewendung »Hals- und Beinbruch« stammt von dem jüdischen Ausdruck: »Hazloche un Broche« und bedeutet »Glück und Segen«.

314. Neun von zehn Menschen heiraten jemanden, der nur bis zu 30 Kilometer von ihrem Geburtsort entfernt geboren wurde.

315. IN DEN KASINOS VON LAS VEGAS SIND KEINE UHREN ZU SEHEN.

316. 1944 wurde in England zuletzt eine Frau als »Hexe« verurteilt – zu neun Monaten Haft.

317. Goethe schrieb 64 Jahre am »Faust«.

318. Der erste Barcode wurde an einer Zehnerpackung Wrigley's abgelesen.

319. Der Südtiroler Hans Kammerlander brauchte nur 17 Stunden, um den Mount Everest zu besteigen, und fuhr auf Skiern wieder runter.

320. Wale sprechen Dialekt.

321. Für die US-Auflage des letzten »Harry Potter«-Bandes wurden 217 475 Bäume gefällt.

322. Heroin wurde bis Ende der 20er Jahre als Husten- und Schmerzmittel vertrieben.

323. Das kleinste Buch der Welt misst 0,3 mal 1,0 Millimeter und enthält die sechs Strophen der peruanischen Nationalhymne.

324. Im Stadion von Borussia Mönchengladbach gibt es 752 Toiletten. Bei Bayer Leverkusen sind es nur 158.

325. IMMERHIN VIER VON FÜNF DEUTSCHEN VERWENDEN IHR TOILETTENPAPIER ORDENTLICH GEFALTET.

326. Ein Liter Druckertinte von Hewlett Packard kostet mehr als ein Liter Chanel No. 5.

327. Norwegen garantiert allen Kühen per Gesetz eine Matratze für die Nachtruhe.

328. Arnold Schwarzenegger, John Travolta, Sylvester Stallone, Nick Nolte, Dan Aykroyd, John Cleese, Terence Hill und Dennis Quaid haben dieselbe deutsche Synchronstimme.

329. Vor hundert Jahren war ein Deutscher mit 26 ausgewachsen, heute mit 18.

330. Das Gift für eine Hinrichtung in Texas kostet pro Spritze 86,06 Dollar.

331. Zwischen 1969 und 1972 sammelten die Apollo-Astronauten 382 Kilo Mondgestein.

332. Weil Kliniken Geburten lieber wochentags abwickeln, werden in Deutschland mittlerweile immer weniger Sonntagskinder geboren.

333. In neuen Hollywoodfilmen dürfen nur noch Telefonnummern von 5 55–01 00 bis 5 55– 01 99 auftauchen. Die anderen 5 55-Nummern gehören realen Service-Hotlines. Homer Simpson hat noch die 5 55-32 26.

334. Ein Europäer kaut durchschnittlich 30 Minuten am Tag.

335. Zähneknirschen heißt auch Bruxismus.

336. Charlie Chaplin nahm einmal an einem Charlie-Chaplin-Look-alike-Contest teil – und verlor.

337. **LEERE KÜHLTRUHEN VERBRAUCHEN MEHR STROM ALS VOLLE.**

338. Menschen mit überdurchschnittlich langen Mittelfingern wählen meist Ehepartner mit ebenfalls langen Mittelfingern.

339. Ein deutscher Mann besitzt durchschnittlich 19 Unterhosen.

340. Der Aspire Dome im arabischen Kleinstaat Katar ist die größte Sporthalle der Welt.

341. In Deutschland gibt es etwa 400 000 Prostituierte.

342.   Der Türke Safa Önal hat 395 verfilmte Drehbücher geschrieben. Das ist Weltrekord.

343.   Hunde beißen Briefträger, weil sie an ihnen Hunde aus
anderen Häusern riechen.

344.   Frauen weinen im Schnitt 5,3-mal im Monat, Männer
weinen nur 1,4-mal.

345.   Auf dem Mond liegen zwei Golfbälle. Der Astronaut
Alan Shepard hat sie 1971 mit einem Sechser-Eisen geschlagen.

346.   »Auto Bild« gibt es in Aserbaidschan.

347.   Kakerlaken im Himalaya ernähren sich von vom Wind
angewehten, erfrorenen Kleinstlebewesen.

348. IN TEXAS IST ES VERBOTEN, GRAFFITI AUF FREMDE KÜHE ZU SPRÜHEN.

349.   Jeder Schweizer, der den Wehrdienst geleistet hat, darf
ein Sturmgewehr zu Hause aufbewahren.

350.   Im Mittelalter wurden auch Fliegenpilze zum Bierbrauen
verwendet.

351.   Pinguine sind an Land leicht kurzsichtig.

352.   Das menschliche Gehirn besitzt etwa 100 Milliarden
Nervenzellen.

353.   Bugs Bunny hieß zunächst Happy Rabbit.

354. **MÄNNERGEHIRNE SIND 14 PROZENT SCHWERER ALS FRAUEN- GEHIRNE.**

355. Kanada hat mit 202 080 Kilometern die längste Küstenlinie der Welt.

356. In Bonn sitzt das UN-Sekretariat zur Erhaltung der europäischen Fledermauspopulationen.

357. Der Flohwalzer ist nicht im Dreivierteltakt – und damit gar kein Walzer.

358. Zugvögel fliegen von Süden nach Norden schneller als andersrum.

359. Eisbären pinkeln oft monatelang nicht – während ihres Winterschlafs.

360. Der Freistaat Bayern hat dem Grundgesetz niemals zugestimmt.

361. Die Mona Lisa hat keine Augenbrauen.

362. Ein deutscher Supermarkt hat durchschnittlich 40 000 Artikel im Angebot.

363. Die schnellste gelbe Karte aller Zeiten bekam 1992 der britische Fußballer Vinnie Jones – für ein Foul nach drei Sekunden.

364. Die Sat.1-Soap »Verliebt in Berlin« hieß ursprünglich »Alles nur aus Liebe«. Der Titel scheiterte daran, dass Fans solche Serien (GZSZ) mit Anfangsbuchstaben abkürzen.

365. Es gibt kaum kurzsichtige Aborigines.

366. Ameisen sind gar nicht so fleißig: Sie arbeiten nur etwa ein Viertel ihrer Zeit.

367. Martin Semmelrogge stand schon 28-mal wegen Verkehrsdelikten vor Gericht.

368. Die panische Angst vor besonders schönen Frauen heißt Venustraphobie.

369. Die 13 ist die statistisch am seltensten gezogene Zahl im deutschen Lotto. Am häufigsten fällt die 32.

370. Babys weinen schon im Mutterleib.

371. Das Auge des Vogel Strauß ist größer als sein Gehirn.

372. Selbst in den allerneuesten Donald-Duck-Büchern gibt es keine Handys. Viele Probleme ließen sich mit Mobiltelefonen zu leicht lösen.

373. Der Karokönig im Skatblatt soll Julius Caesar darstellen, der Herzkönig Karl den Großen.

374. Eltern, die beide Linkshänder sind, bringen trotzdem mehr Rechtshänder zur Welt.

375. Die meistgesprochene Sprache der Welt ist Putonghua – eine standardisierte Form des Mandarin und Amtssprache in China.

376. New York und Neapel liegen auf demselben Breitengrad.

377. DIE VERTIEFUNGEN AUF GOLFBÄLLEN HEISSEN DIMPELS.

378. Katzen können nichts Süßes schmecken.

379. Nach dem australischen Premierminister Harold Holt, der 1967 beim Baden ertrank, wurde in Melbourne ein Schwimmbad benannt.

380. DAS ERSTE HÖRGERÄT, IM JAHR 1901 ENTWICKELT, WOG MEHR ALS ZWÖLF KILO.

381. Wegen des starken Windes auf den Färöerinseln erlaubt der Fußballweltverband, dass bei einem Elfmeter ein Mitspieler den Ball für den Schützen mit der Hand festhält.

382. Hagebutten enthalten mehr Vitamin C als Zitronen.

383. Die Krawatte wurde in Europa vor 350 Jahren durch kroatische Söldner populär.

384. Regenwürmer kommen an die Oberfläche, um nicht in ihren Wohnhöhlen zu ertrinken.

385. 48 Prozent der Toten in Deutschland werden verbrannt.

386. Indianer waren ursprünglich Fußgänger. Erst die europäischen Eroberer brachten im 16. Jahrhundert wieder Pferde nach Amerika, wo sie längst ausgestorben waren.

387. Ein »blutig« gebratenes Steak enthält fast kein Blut. Die rote Farbe kommt von dem eisenhaltigen Protein Myoglobin.

388. Eintagsfliegen essen nicht.

389. Das Spucken auf den Bürgersteig kostet in Bad Kissingen 100 Euro Bußgeld.

390. Kraken haben einen Lieblingsarm.

391. Jede fünfte Schönheitsoperation wird an einem Mann durchgeführt. 1985 war es noch jede zwanzigste.

392. Das Mobiltelefon wurde 1942 zum Patent angemeldet.

393. Artischocken sind Disteln.

394. Mauersegler bleiben bis zu drei Jahre ohne Unterbrechung in der Luft.

395. Monaco ist kleiner als der Berliner Tiergarten.

396. Das Puzzle erfand der Londoner Lehrer John Spilsbury vor 200 Jahren. Er zerteilte eine Landkarte von Großbritannien in die verschiedenen Grafschaften, um den Erdkundeunterricht spannender zu machen.

397. Seefahrer trugen Augenklappen, weil ein Auge vom Blick in die Sonne oft erblindete.

398. In Deutschland erreichen uns täglich rund 3000 Werbebotschaften.

399. Der Name »Sinalco« leitet sich ab von »sine alcohole«.

400. Die Beach Boys nannten sich ursprünglich »Kenny and the Cadets«.

401. Mirpzahlen sind Primzahlen, die eine andere Primzahl ergeben, liest man sie rückwärts herum.

402. Landschildkröten werden bis 188 Jahre alt.

403. **LAKRITZE LÄSST DEN MÄNNLICHEN TESTOSTERONSPIEGEL UM BIS ZU 44 PROZENT SINKEN.**

404.   Seit 1991 gibt es in Kanada keine Miss-Wahlen mehr – das haben Frauenrechtsgruppen durchgesetzt.

405.   Der Drink »Tom Collins« ist nach einem Londoner Barkeeper aus dem 19. Jahrhundert benannt.

406.   Die Bockwurst heißt Bockwurst, weil sie ursprünglich zu Bockbier serviert wurde.

407.   Das Grußwort »Moin« bedeutet nicht »Morgen«, sondern leitet sich vom niederländischen »mooi« ab. Das heißt »schön«.

408.   Die kürzeste Laufbahn in der deutschen Fußballnationalmannschaft hatte Bernd Martin. Der Verteidiger vom VfB Stuttgart spielte 1979 drei Minuten gegen Wales.

409.   In Las Vegas heiraten pro Jahr rund 110 000 Menschen, darunter 3800 Deutsche.

410. EIN PFERD KANN ETWA 24 PS LEISTEN.

411.   2004 hat die deutsche Polizei 29 017 Telefonanschlüsse abgehört.

412.   Bäume werden kahl, weil sie aus gefrorenem Boden zu wenig Wasser ziehen können, um ihre Blätter zu versorgen.

413.   1949 konnte ein deutscher Landwirt 10 Menschen mit seinen Erzeugnissen ernähren; 2002 waren es 131.

414.   Die erste Hunde-Herztransplantation wurde 1905 in Chicago vorgenommen.

415. 91 Prozent der Männer und 84 Prozent der Frauen hatten schon Mordfantasien.

416. Finnland hat mit 21 712 die meisten Krankenschwestern pro 100 000 Einwohner weltweit. Deutschland kommt auf 9508.

417. Bis heute haben 106,4 Milliarden Menschen auf der Erde gelebt.

418. Nur 23 Prozent aller verheirateten Männer kaufen ihre Unterwäsche selbst.

419. **JAMES DEAN LITT BEIM DREH ZU »DENN SIE WISSEN NICHT, WAS SIE TUN« AN MALARIA.**

420. 1950 fuhr ein Autofahrer rund 1000 Kilometer im Jahr. Heute 12 000 Kilometer.

421. Kermit ist die einzige Figur, die in der Muppetshow und in der Sesamstraße auftritt.

422. Schon mit 627 verkauften Platten pro Woche kann man auf Platz 84 der deutschen Albumcharts landen.

423. In ihre Ehe mit Fürst Rainier musste Grace Kelly zwei Millionen Dollar Mitgift einbringen – und die Bescheinigung ihrer Gebärfähigkeit.

424. Weibliche Schaufensterpuppen hatten in den 20er Jahren zehn Zentimeter mehr Hüftumfang als heute.

425. **DEUTSCHE SCHUH-GRÖSSE DURCH DREI MAL ZWEI ERGIBT DIE FUSSLÄNGE IN ZENTIMETERN.**

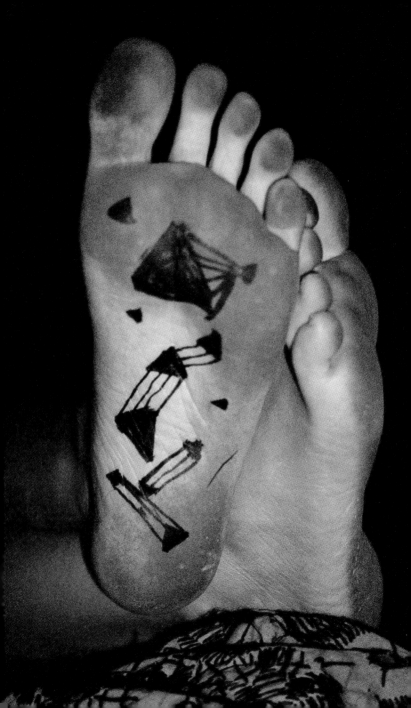

426.   Jeder zweite Elefant ist Linksrüssler.

427.   Das meistgespielte Lied im US-Radioprogramm ist »You've Lost That Loving Feeling« von The Righteous Brothers.

428.   Edmund Stoiber schrieb seine juristische Dissertation über Hausfriedensbruch.

429.   50 Prozent des weltweiten Handels mit Kaviar werden über die Schweiz abgewickelt.

430.   Drei Minuten und fünf Sekunden dauert der längste Filmkuss: zwischen Jane Wyman und Regis Toomey in »You're In The Army Now«.

431.   Schwertwale jagen Möwen, in dem sie zerkauten Fisch als Köder auf die Meeresoberfläche spucken.

432.   Der Erdkern dreht sich pro Jahr 0,009 Sekunden schneller als die Erdkruste.

433. FISCHE KÖNNEN AN SONNENBRAND STERBEN.

434.   Ein Testkilometer in der Formel 1 kostet 1000 Dollar.

435.   Im Tower von London werden stets sechs Raben gehalten. Ein entsprechendes Gesetz erließ König Karl II. – ein Hellseher hatte prophezeit, das Empire werde untergehen, sollten je alle Raben den Tower verlassen.

436.   Das Wort »Roboter« kommt aus dem Tschechischen und bedeutet Fronarbeit.

437. Der härteste Bleistiftgrad ist Neun-H.

438. Alle drei Sekunden stirbt weltweit ein Hai durch den Menschen.

439. Beim Capgras-Syndrom denkt jemand, dass ein naher Verwandter oder ein Freund durch einen Doppelgänger ersetzt wurde.

440. Ein Fünftel aller tödlichen Verkehrsunfälle passiert in China, dort fahren aber nur 1/17 der Autos.

441. Nur zwei von drei angeblich gestohlenen Autos in Deutschland wurden wirklich geklaut.

442. Um einen Sohn zu zeugen, banden sich Franzosen im 18. Jahrhundert beim Sex den linken Hoden ab.

443. Eine Fliege, die gerade in ein Wasserglas gestürzt ist, kann man wiederbeleben, indem man sie mit Kochsalz bestreut.

444. Der kürzeste Linienflug der Welt verbindet die Orkney-Inseln Westray und Papa Westray. Eine Propellermaschine schafft die anderthalb Kilometer in 56 Sekunden.

445. Nicolas Sarkozy sammelt Briefmarken.

446. Die Postleitzahl von Petting ist 83367.

447. Die brasilianische Fußballnationalmannschaft spielte bis 1950 in weißen Trikots. Dann verloren sie schmachvoll gegen den Rivalen Uruguay – und stellten auf gelb-blau um.

448. Den besten Geruchssinn aller Tiere hat der Aal.

449.   Delfine schlafen, indem sie abwechselnd eine Gehirn-hälfte einschlafen lassen und mit der anderen wach bleiben.

450.   Der bürgerliche Name des Schauspielers Sky Dumont lautet Kaietamo Dumont.

451.   Cola löst Rost.

452.   Der Äthiopier Abebe Bikila gewann den Marathon der Olympischen Spiele 1960 in Rom barfuß.

453.   Mehr als 1,3 Milliarden Uhren kauft sich die Menschheit jedes Jahr.

454.   Bambus wächst bis zu fünf Zentimeter pro Stunde.

455. JÜRGEN KLINSMANNS ÄLTERER BRUDER HEISST HORST.

456.   Erste und letzte »Miss DDR« wurde 1990 Leticia Koffke. Sie wurde 1991 auch »Miss Germany«.

457.   Der Nordatlantische Eis-Warndienst entstand 1913 – die Titanic ging 1912 unter.

458.   Stabheuschrecken haben bis zu zehn Wochen lang Sex.

459.   Englands Bürger haben keine Personalausweise.

460.   Marienkäfer haben 2, 5, 7, 10, 14, 16 oder 22 Punkte.

461.   Der letzte Mann auf dem Mond war der Astronaut Eugene Cernan im Jahr 1972.

462.   890 Millionen Menschen sprechen als Muttersprache Mandarin, 320 Millionen sprechen Englisch.

463.   Schriftsteller Felix Salten schrieb sowohl »Bambi – ein Leben im Walde« als auch den Pornoroman »Josefine Mutzenbacher«.

464. DEN OLYMPISCHEN FACKEL-LAUF HABEN NICHT DIE ALTEN GRIECHEN, SONDERN ERST DIE NAZIS ERFUNDEN.

465.   Der größte Fischereihafen Deutschlands ist am Flughafen Frankfurt.

466.   Sexueller Lustgewinn im Zusammenhang mit Scheiße heißt »Koprophilie«.

467.   1971 wurde der Minutenzeiger der Berliner Gedächtniskirche gestohlen.

468.   Das erste Opfer eines Autounfalls war Henry M. Bliss, der am 13.9.1899 in New York angefahren wurde.

469.   In dem Lied »Loser« singt Beck gegen Ende auf Deutsch: »Sprechen Sie Deutsch, Baby …«

470.   Die USA haben keine gesetzliche Amtssprache.

471.   John Lennons zweiter Vorname war Winston.

472.   Homer Simpsons Kreditkartennummer lautet 5784 3653 4341 0709.

473. Die Haare des Faultiers sind auf dem Bauch gescheitelt, damit sich das Fell nicht mit Regenwasser vollsaugt und die Tiere im Schlaf vom Baum fallen.

474. Die venezolanische Nationalmannschaft ist das einzige südamerikanische Team, das nie an einer Fußball-WM teilgenommen hat. Ihr Trainer war früher als Traumatologe tätig.

475. Die höchste Baukonstruktion der Welt steht in Fargo, North Dakota. Der Sendemast des Radiosenders KVLY misst 628,8 Meter.

476. Mit Zahnpasta bestrichene Hochspannungsleitungen summen bei Regen nicht.

477. IN SINGAPUR DARF KAUGUMMI NUR GEGEN VORLAGE EINES AUSWEISES VERKAUFT WERDEN.

478. Napoleon putzte sich die Zähne mit Wildschweinborsten.

479. Die Wissenschaft von der Dummheit heißt Morologie.

480. Das »Bullerbü-Syndrom« bezeichnet in der schwedischen Sprache das idealisierte Bild, das Deutsche von Schweden haben.

481. In den Amerikaner Roy Sullivan schlug zwischen 1942 und 1983 siebenmal der Blitz ein. Dann schied er freiwillig aus dem Leben.

482. Der Atlantik ist salziger als der Pazifik.

483. Seesterne haben kein Gehirn.

484. Der Schauspieler Jean Reno heißt eigentlich Juan Moreno.

485. Ein Diamant verbrennt bei mehr als 800 Grad Celsius zu Kohlendioxid.

486. In der Offenbarung des Johannes, Kapitel 20, Vers 10, ist in einer Beschreibung der Hölle von flüssigem Schwefel die Rede – dessen Siedepunkt liegt bei 444 Grad Celsius.

487. Der menschliche Körper produziert 200 Milliarden rote Blutkörperchen am Tag.

488. Nepal hat drei Notrufnummern: 41 12 10 für die Polizei, 22 80 94 für den Notarzt. Touristen müssen 4 24 70 41 wählen.

489. Ein Paar Stubenfliegen könnte so viele Nachkommen hervorbringen, dass Deutschland unter einer zwei Meter hohen Schicht begraben würde.

490. 200 Billiarden Termiten erzeugen 30 Prozent des Methangehalts der Erdatmosphäre.

491. Cajus Julius Caesar sitzt für die CDU im Bundestag.

492. Bei einer Bananenflanke muss der Ball mit etwa 100 Stundenkilometern wirbeln und sich mehr als achtmal pro Sekunde um die eigene Achse drehen.

493. Italien ist seit 1962 offiziell malariafrei.

494. In Indien ist es verpönt, den Kopf eines fremden Kindes zu berühren.

495. **NUR 56 PROZENT DER US-EHEMÄNNER FÜHLEN SICH FÜR DIE AUSWAHL IHRER KLEIDUNG ZUSTÄNDIG.**

496. Das Pendant zu Otto Normalverbraucher heißt in Italien Mario Rossi.

497. Die Raumsonde Voyager 1, die am 5. September 1977 ins All geschossen wurde, ist zurzeit 14,6 Milliarden Kilometer von der Erde entfernt.

498. Das Höchstalter von Efeu ist 400 Jahre.

499. Vier Prozent der Iren haben rote Haare.

500. Die Faustregel im Aquarium: ein Liter Wasser pro Zentimeter Fisch.

501. ES LEBEN MEHR PAPAGEIEN IN MENSCHENOBHUT ALS IN DER NATUR.

502. Die abergläubische Angst vor der Zahl 13 heißt Triskaidekaphobie.

503. Der Eiffelturm schrumpft bei Kälte um 15 Zentimeter.

504. In Schweden ist das »W« erst seit neuestem offiziell ein Buchstabe.

505. Gorillas und Orang-Utans müssen wie Menschen das Schwimmen erst lernen.

506. Den höchsten Pro-Kopf-Verbrauch an Speiseeis in Europa haben die Finnen.

507. In Schweden ist käuflicher Sex verboten.

508. Eine Sekunde sind 1 192 631 700 Schwingungen der Strahlung beim Übergang zwischen zwei Energiestufen des Isotops Cäsium 133.

509. Erdnüsse sind Hülsenfrüchte.

510. In Sindelfingen gibt es Zebrastreifen aus Marmor.

511. Den Hot Dog nannte man früher auch Dackelwurst.

512. Im Logo der RAF ist keine Kalaschnikow, sondern eine MP5-Pistole abgebildet.

513. Bei Burger King in Shanghai gibt es eine VIP-Kasse.

514. Donna Leons Romane erscheinen nicht in Italien. Die in Venedig lebende Autorin möchte dort ihre Ruhe haben.

515. Ein Erwachsener schluckt rund sechshundertmal am Tag.

516. IDEFIX HEISST IN ENGLAND DOGMATIX.

517. Der Deutsche Tom Siestas hält mit acht Minuten und 58 Sekunden den Weltrekord im Luftanhalten.

518. Meerwasser enthält etwa drei Prozent Salz.

519. Die Nationalhymne von Saudi-Arabien trägt den Titel »Asch al-Malik« (»Lang lebe unser geliebter König«).

520. Etwa 100 Millionen Menschen leben außerhalb ihres Geburtslandes.

521. In Manaus, im brasilianischen Amazonasgebiet, gibt es eine Bar, die Oliver-Kahn-Burger, Steffi-Graf-Burger und Franz-Beckenbauer-Burger serviert.

522. Die andalusische Desierto de Tabernas ist die einzige Sandwüste Europas.

523. Die schnellste Bewegung im Tierreich ist der Flügelschlag der Mücke: neunhundertfünfzigmal pro Sekunde.

524. Die beiden Türme der Münchner Frauenkirche sind unterschiedlich hoch, der Südturm ist um zwölf Zentimeter kürzer.

525. Pinkeln in der Öffentlichkeit kann mit 20 bis 100 Euro bestraft werden.

526. STARE VERSTEHEN VERSCHACHTELTE SÄTZE.

527. Die Eltern von Simpsons-Erfinder Matt Groening heißen Homer und Margaret, seine jüngeren Schwestern Lisa und Maggie, sein Großvater Abraham.

528. Die Firma Nintendo gibt es seit 1889.

529. Schmetterlinge haben ihren Geschmackssinn in den Beinen.

530. Der Einsatz von Streichinstrumenten im Fernsehen lässt Einschaltquoten sinken.

531. Die Comicfigur Isnogud hat einen wenig bekannten Sohn namens Isverybad.

532. Öffentliche Abwasserkanäle umspannen 13-mal die Erde.

533. Stalin wollte John Wayne erschießen lassen.

534. Es gibt seit dem Zweiten Weltkrieg keinen belegten Fall, dass ein freilebender Wolf jemals einen Menschen getötet hat.

535. Mexikaner tragen nur im Ausland Sombreros.

536. »Ausländerfrei« war 1991 das erste deutsche »Unwort des Jahres«.

537. Drafi Deutscher benutzte 40 Decknamen, darunter: Baby Champ, Piña Colada, Phoenix, Hektor von Usedom und Kurt Gebegern.

538. Im Kühlschrank leben deutlich mehr Keime als auf der Toilette.

539. DIE TEPPICHE BEI IKEA SIND NACH ORTEN IN DÄNEMARK BENANNT.

540. Die Eintagsfliege hat keine Zeit zu verlieren, sie paart sich in der Luft.

541. Der südlichste Punkt Afrikas ist das Kap Agulhas, nicht das Kap der Guten Hoffnung.

542. Die Abkürzung »GB« in Kontaktanzeigen steht für »Gesichtsbesamung«.

543. Notorisches Nägelkauen heißt Onychophagie.

544. **NICOLE KIDMAN HAT PANISCHE ANGST VOR SCHMETTERLINGEN.**

545. AUSTRALISCHE SEEWESPEN-QUALLEN KÖNNTEN MIT IHREM GIFT 250 MENSCHEN TÖTEN.

546. Wolfgang Amadeus Mozart hieß mit richtigem Namen Johannes Chrysostomus Wolfgangus Theophilus Mozart.

547. Laurel und Hardy drehten viele ihrer Filme in fünf Sprachen. Die Fremdsprachen lasen sie von Tafeln ab.

548. Einige Nacktschnecken sind Allesfresser, sie fressen auch andere Schnecken.

549. Napoleon erfand die Kehrwoche.

550. Pandabären werden rund 1,50 Meter groß.

551. Das gebärfreudigste Wesen der Welt ist die Termitenkönigin. Sie legt in ihrem Leben über eine Milliarde Eier.

552. Das größte bekannte Lebewesen ist ein Dunkler Hallimasch in Oregon: ein Pilz auf neun Quadratkilometern.

553. Auf einer Waage würde der Mond 70 Trillionen Tonnen wiegen.

554. 14 Gramm Rosinen pro Kilogramm Hund töten einen Labrador.

555. Eristik ist die Kunst des Streitens und Debattierens mit dem Ziel, Recht zu behalten, selbst wenn man im Unrecht ist.

556. In Deutschland gibt es 11 000 Höhlen.

557. Die Wahrscheinlichkeit, glücklich zu sein, ist auf einer Insel größer als auf dem Festland.

558. Vier von zehn Menschen, die vom Blitz getroffen werden, sterben an ihren Verletzungen.

559. Pflanzen können einen Sonnenbrand bekommen.

560. Neun von zehn Internetseiten sind jünger als ein Jahr.

561. Elefanten meiden Hügel. Sie verbrauchen beim Bergaufgehen zu viel Energie.

562. Die französische Schauspielerin Sarah Bernhardt legte sich zum Textlernen in einen Sarg. Dort empfing sie auch ihre Liebhaber.

563. BMW NENNT SICH IN CHINA »BAO MA«, WAS »KOSTBARES PFERD« BEDEUTET.

564. Der Titel des Liedes »Guantanamera« bedeutet »Frau aus Guantánamo «. Den Text schrieb ein kubanischer Freiheitskämpfer.

565. Der meistbesuchte Ort der Welt ist Las Vegas. Über 30 Millionen Touristen besuchen die Stadt jedes Jahr.

566. Der passive Wortschatz eines Deutschen umfasst im Schnitt 94 000 Wörter.

567. Die Verpackung von Cornflakes enthält mehr Nährstoffe als die Cornflakes in ihr.

568. **FAST JEDE FÜNFTE PAUSCHALREISE ZIEHT EINE BESCHWERDE NACH SICH.**

569.   Männer fallen häufiger aus dem Bett als Frauen.

570.   Pro Tag werden in Deutschland 130 Hektar Fläche zubetoniert.

571.   Cate Blanchett schenkte ihrem Mann Gipsabgüsse ihrer Ohren.

572.   Sechs Monate alte Babys können die Gesichter von Affen so gut auseinanderhalten wie die von Menschen, Kinder ab neun Monaten nicht mehr.

573.   Das erste Autoradio der Welt lief 1922 in Chicago in einem Ford-T-Modell.

574.   Das Bundesverdienstkreuz wurde bisher rund 210 000 Mal verliehen.

575.   Wenn man im iranischen Google das Wort »Frauen« eingibt, erscheint »access denied«.

576.   David Lynch gibt auf davidlynch.com täglich einen Wetterbericht ab.

577.   Rote Seeigel werden maximal 200 Jahre alt.

578.   Rainer Maria Rilke wurde bis zu seinem sechsten Lebensjahr von seiner Mutter wie ein Mädchen angezogen und Sophie genannt.

579.   »Noch ist Polen nicht verloren« ist der erste Satz der polnischen Nationalhymne.

580.   Richard Geres zweiter Vorname ist Tiffany.

581.   Gulasch heißt in Ungarn eigentlich Pörkölt.

582.   Auf der Homepage von Art Garfunkel ist jedes Buch aufgelistet, das er seit Juni 1968 gelesen hat.

583.   Ausgemusterte Geldscheine werden in Deutschland in genau 800 Schnipsel zerhäckselt.

584.   Eine Cruise-Missile kostet 1,1 Millionen Dollar pro Stück.

585.   Papiertaschentücher wurden im Ersten Weltkrieg als Filter für Gasmasken entwickelt.

586. ES GIBT 85 VERSCHIEDENE ARTEN, EINE KRAWATTE ZU BINDEN.

587.   Die Frau des Mode-Designers Paul Smith heißt Pauline.

588.   Dave Gahan, Johnny Depp, Pamela Anderson, Kylie Minogue, Salma Hayek und Bridget Fonda haben schon für H&M gemodelt.

589.   1989 veröffentlichte Designer Jean Paul Gaultier ein Musikalbum: »Aow Tou Dou Zat« war allerdings kein großer Erfolg.

590.   Marc Jacobs tritt ausschließlich in Fernsehsendungen auf, in denen geraucht werden darf.

591.   Beim Bayerischen Filmpreis 2006 trugen Anna Loos und Heike Makatsch das gleiche Kleid.

592.   Rembrandt malte mehr als sechzig Selbstporträts.

593. Bei Beachvolleyballerinnen darf das Höschen an der Außenseite des Oberschenkels nicht breiter als 3,5 Zentimeter sein, anderenfalls droht die Disqualifikation.

594. VOR SEINER SCHAUSPIEL-KARRIERE MACHTE BRAD PITT IN EINEM HÜHNERKOSTÜM WER-BUNG FÜR EINE BURGER-KETTE.

595. Während der Spiele der Fußball-WM 2006 trug Lukas Podolski Schuhe, in deren Innenleder der Text der Nationalhymne eingedruckt war.

596. Herero-Frauen tragen noch heute viktorianische Kleider nach dem Vorbild der Missionarsfrauen.

597. »Lady Marmelade« Patti LaBelle verkauft Mode beim Fernseh-Sender HSE24.

598. Wie jeder Kunde bei Hermès muss auch die Schauspielerin Jane Birkin 30 Monate nach Bestellung auf die nach ihr benannte Tasche, die »Birkin Bag«, warten.

599. »Dogi-fashion.de« bietet Hasenkostüme für Hunde an.

600. Die Autorin Fay Weldon wurde von der italienischen Juwelierkette Bulgari dafür bezahlt, ihren Roman »The Bulgari Connection« zu nennen.

601. Auf der Halbinsel Yucatán werden lebende Käfer als Schmuck verwendet. Der Käfer klammert sich auf der Kleidung fest und bewegt sich nicht.

602. Das teuerste Parfüm der Welt, »Clive Christian No 1«, ist bei Harrods in London erhältlich und kostet 170 000 Euro pro Flasche.

603. Ein essbarer Herrenslip kostet im Sexshop 6,50 Euro.

604. 75 Prozent der Zuschauerinnen des ZDF sind über 70 Jahre alt.

605. Das Wort des Jahres 1977 war »Szene«.

606. Sasha Baron Cohen alias Ali G hat in Cambridge Geschichte studiert.

607. Das wiederholte Eingeben des eigenen Namens bei Google nennen Computerjournalisten »Google-Onanie«.

608. 31 Jahre bevor sie Premierministerin wurde, erfand Margaret Thatcher mit einem Chemikerteam das Softeis.

609. Shakespeares »Hamlet« wurde auch in die Außerirdischensprache Klingonisch aus »Star Trek« übersetzt.

610. Am 16. November ist der Internationale Tag der Toleranz.

611. James Bond küsst in jedem Film durchschnittlich drei Frauen, mit zwei von ihnen geht er auch ins Bett.

612. Jeder Deutsche gibt im Jahr durchschnittlich 375 Euro für Bücher, Zeitschriften und Zeitungen aus.

613. Britische Wissenschaftler gehen davon aus, dass Kühe in unterschiedlichen Dialekten muhen. Sie eignen sich den regionalen Tonfall ihrer Bauern an.

614. Die 48 Kilo leichte Amerikanerin Sonya Thomas kann in fünf Minuten 80 Chicken Nuggets essen.

615. Die Schlümpfe heißen in Italien I Puffi.

616. Am dritten Hochzeitstag feiern Ehepaare ihre lederne Hochzeit, nach 75 Jahren die Kronjuwelenhochzeit.

617. Grünen-Politiker Cem Özdemir ist Schirmherr der Döner-Suchmaschine doener365.de.

618. AUF HELGOLAND BEZAHLT MAN KEINE MEHRWERTSTEUER.

619. Die Sportart »Zennis« bezeichnet meditatives Tennis-spielen.

620. In Ghana werden Särge in Form von Autos, Flugzeugen, Booten oder Colaflaschen gebaut.

621. Deutsche verbrauchen jährlich 52 000 Tonnen Ketchup.

622. Der Orgasmus eines Schweins dauert 30 Minuten.

623. Volleyball ist die beliebteste Sportart in Nudistencamps.

624. Pierce Brosnan jobbte als Teenager als Feuerschlucker im Zirkus.

625. Die s-förmige Öffnung einer Geige heißt f-Loch.

626. Das größte jemals gefundene Hagelkorn hatte einen Durchmesser von 17 Zentimetern.

627. Klassische Musik fördert die Konzentration. Man spricht vom »Mozart-Effekt«.

628. Eine »La Ola«-Welle im Fußballstadion bewegt sich mit 12 Metern pro Sekunde.

629. Donalds Vater heißt Degenhard Duck.

630. Zwei Prozent der Abonnenten der Zeitschrift »Emma« sind Männer.

631. Das PCC, die gefährlichste Mafia Brasiliens, ist vor 13 Jahren aus einer Gefängnisfußballmannschaft entstanden.

632. Vom menschlichen Körper schuppen sich im Laufe des Lebens etwa 20 Kilo Haut ab.

633. Die Armee des Vatikans ist 110 Mann stark.

634. In den USA sind neun Milligramm Rattenkot pro Kilo Weizen erlaubt.

635. Der Beatles-Song »Yesterday« hatte den Arbeitstitel »Scrambled Eggs«.

636. »MILKA« IST EINE AB-KÜRZUNG AUS DEN WORTEN »MILCH« UND »KAKAO«.

637. Die Atombombe »Fat Man« sollte im August 1945 nach Planungen des US-Militärs auf die Stadt Kokura fallen. Doch weil Kokura unter Wolken nicht zu sehen war, drehte der Pilot ab und flog nach Nagasaki.

638. »Latte macchiato« heißt »gefleckte Milch«.

639. Adolf Hitler wurde erst am 25. Oktober 1956 offiziell für tot erklärt.

640. Ryan Adams und Bryan Adams haben am selben Tag Geburtstag.

641. Etwa ein Dutzend japanische Touristen erkranken jedes Jahr am »Paris-Syndrom«. Sie erleiden einen Schock, weil sie in der Stadt der Liebe so grob behandelt werden.

642. In Nordsibirien flirten Frauen, indem sie Männer mit Feldschnecken bewerfen.

643. Giraffen können sich mit der Zunge die Ohren auslecken.

644. Der Fußballspieler Mike Hanke hat eine Grasallergie.

645. Truman Capote schrieb nur auf gelbem Papier.

646. EIN VIERJÄHRIGES KIND STELLT TÄGLICH UNGEFÄHR 400 FRAGEN.

647. Homosexuelles Verhalten kann bei über 1500 Tierarten beobachtet werden.

648. Frauen können ihren Ellenbogen um sechs Grad weiter überstrecken als Männer.

649. In Deutschland lebten 2005 84 Prozent mehr deutsch-ausländische Paare als 1996.

650. Eine Kugelschreibermine reicht für einen Strich von 5000 bis 10 000 Metern Länge.

651. Windmühlen drehen sich gegen den Uhrzeigersinn.

652. Die breiteste Straße der Welt ist mit 120 Metern und 18 Fahrspuren die »Avenida des 9. Juli« in Buenos Aires.

653. 54 von 1000 russischen Frauen lassen einmal jährlich eine Abtreibung vornehmen.

654. Die Vorwahl von Russland ist 007.

655. Kirsten Dunst machte als Kind Werbung für eine Puppe mit Körperfunktionen.

656. Das Sandwich wurde von den Römern erfunden, die es »offula« nannten.

657. Frauen, die die Dirndlschleife links tragen, signalisieren, dass sie noch zu haben sind.

658. Eisbären sind Linkshänder.

659. Für die vierte Staffel DSDS haben sich 28 597 Kandidaten beworben.

660. Die Rekordweite im Marshmallow-Nasenweitpusten liegt bei 4,96 Meter.

661. Schnapserfinder Jim Beam hieß eigentlich Jakob Böhm und war Deutscher.

662. Die Tulpe kommt aus der Türkei.

663.   Michael Schumacher hat während seiner Karriere insgesamt 7,5 Tonnen Nudeln gegessen.

664.   In seiner Freizeit trägt Fidel Castro Trainingsanzüge in den kubanischen Nationalfarben.

665.   »Karate« heißt »leere Hand«.

666. DAS CAMEL-KAMEL IST TATSÄCHLICH EIN DROMEDAR.

667.   Frauen in Niger bekommen durchschnittlich 7,9 Kinder.

668.   Kühe kauen etwa 30 000-mal am Tag und produzieren dabei 90 Liter Speichel.

669.   Mudschahedin dürfen Jünglinge ohne Bartwuchs nicht aufs Schlachtfeld und in Privatgemächer mitnehmen.

670.   Das erste Emoticon, ein einfaches Smiley, postete der Amerikaner Scott E. Fahlmann 1982 in ein elektronisches Diskussionsforum.

671.   Joe Cocker war Babysitter von Jarvis Cocker in der gemeinsamen Heimatstadt Sheffield. Sie sind aber nicht verwandt.

672.   Jack Nicholson fand erst mit 37 heraus, dass seine Schwester in Wahrheit seine Mutter ist.

673.   In den USA leben mehr Tiger bei Privatleuten als weltweit in freier Wildbahn.

674.   Brautsträuße gibt es seit der Renaissance. Der Duft sollte verhindern, dass die Braut während der Trauung in Ohnmacht fällt, weil in der Kirche die Luft so schlecht war.

675. In jedem Flugzeugtoilettenmülleimer ist ein automatischer Feuerlöscher eingebaut.

676. Das Wort »Haribo« setzt sich aus dem Namen und der Heimatstadt des Firmengründers zusammen: Hans Riegel, Bonn.

677. Europäische Schuhgrößen ermessen sich aus der Formel (Fußlänge + 1,5 cm) : 0,666 (Länge eines französischen Stiches).

678. Die Kosten für die Grundausrüstung eines US-Soldaten im Irak sind in den letzten acht Jahren von 7000 auf 24 000 Dollar gestiegen.

679. KAISERIN SISSI HATTE EINEN ANKER AUF DER SCHULTER TÄTOWIERT.

680. 65 Prozent der Männer kaufen die Jeans, die sie in die Umkleidekabine mitgenommen haben, aber nur 25 Prozent der Frauen.

681. Männer husten mit einer Geschwindigkeit von 900 und ejakulieren mit 16 Stundenkilometern.

682. Freddie Mercury ist auf Sansibar geboren.

683. 32 Prozent unseres Trinkwasserverbrauchs landen in der Toilette.

684. Bob Marleys Vater kam aus England und war weiß.

685. BOTOX HILFT GEGEN MIGRÄNE.

686. Die Hilfsbereitschaft gegenüber einem Menschen ist umso größer, je ähnlicher man ihm sieht.

687. Die Software Adobe wurde nach dem Bach benannt, der am Haus der beiden Firmengründer vorbeiplätscherte.

688. Das größte Einkaufszentrum Deutschlands steht in der Stadt Bochum.

689. In Tokio kostet eine Taxifahrt zum Flughafen umgerechnet 240 Dollar.

690. Es gibt bereits 1248 Bücher über die Attentate des 11. September 2001.

691. In Chile rauchen 34 Prozent aller Frauen, im Iran zwei Prozent.

692. Snoopys Hundegeschwister heißen Spike, Andy, Belle, Marbles, Molly, Olaf und Rover.

693. DIE ERSTEN CHEERLEADER IN DEN USA WAREN MÄNNER.

694. Die Zahnbürste wurde im 15. Jahrhundert von den Chinesen erfunden, die Borsten von sibirischen Wildschweinen an einem Griff aus Bambusholz befestigten, um sich damit das Essen aus dem Mund zu kratzen.

695. Barbies voller Name ist Barbara Millicent Roberts. Als echter Mensch könnte sie mit ihren Körpermaßen nicht überleben, da in ihrem Unterleib zu wenig Platz für alle wichtigen Organe wäre.

696.   Auf dem Wiener Opernball tragen die Herren weiße Fliegen zum Frack, damit man sie von den Kellnern unterscheiden kann.

697.   Weil Strauße keine Zähne haben, schlucken sie Steine, die die Nahrung im Magen zerreiben.

698.   In der Schweiz gibt es Geschirrspülmaschinen mit extra Käsefondue- und Racletteprogramm.

699.   Deutsche Lehrer sind im Durchschnitt 48 Jahre alt.

700.   Leguane haben zwei Penisse.

701.   Der englische Satz »The quick brown fox jumps over the lazy dog« enthält jeden Buchstaben des Alphabets.

702.   Deutschland wiegt 28 Billiarden Tonnen – von der 20 bis 40 Kilometer dicken Erdkruste aus gemessen.

703.   Ein Sonnenbrand kann maximal 62 Stunden jucken.

704.   Sämtliche Schwäne in England sind Eigentum der Queen.

705.   ZUCKERWATTE WURDE VON EINEM ZAHNARZT ERFUNDEN.

706.   In Deutschland sind noch 14,4 Milliarden D-Mark im Umlauf, je zur Hälfte in Münzen und Scheinen.

707.   Wer in London an der Ecke Regent/Wigmore Street steht, kann 164-Starbucks-Filialen im Umkreis von acht Kilometern besuchen.

708. River Phoenix und Federico Fellini starben am selben Tag (31.10.1993).

709. Mohammed gilt als der häufigste Name weltweit.

710. Beim DFB war Frauenfußball bis 1970 nicht zugelassen.

711. 2005 kamen fast 30 Prozent aller Kinder in Deutschland außerehelich zur Welt, 1995 waren es 16 Prozent.

712. In Spanien werden Aprilscherze stets am 28. Dezember gemacht.

713. 2010 werden weltweit über neun Millionen Roboter im Einsatz sein, unter anderem für Krankentransporte, Essensausgabe und Reinigungsarbeiten.

714. Der häufigste deutsche Kosename ist »Schatz«, vor »Maus« und »Engel« von Männern für Frauen und »Hase« und »Bärchen« von Frauen für Männer.

715. Tom Cruise ließ sich als 21jähriger vier Zähne ausschlagen, um eine Rolle in dem Film »The Outsider« zu bekommen.

716. Ein deutsches Badezimmer ist im Schnitt 7,8 Quadratmeter groß.

717. Die schnellste Achterbahn der Welt heißt »Kingda Ka« und steht in New Jersey. Sie erreicht 206 km/h.

718. George W. Bush war als Student in Yale der Vorsitzende der Cheerleadergruppe.

719. Männer bekommen öfter Schluckauf als Frauen.

720. Das Löwengebrüll im Vorspann jedes Films der Metro-Goldwyn-Mayer-Studios wurde von 1928 bis 1982 von fünf verschiedenen Löwen gebrüllt. Seitdem wird es, lauter und spektakulärer, künstlich hergestellt.

721. Die teuersten Aktien der Welt sind die der Firma Berkshire Hathaway. Ein Stück kostet rund 100 000 Dollar.

722. Bei vier von fünf Vaterschaftstests ist der Kläger der leibliche Vater.

723. Ein Blauwal-Junges trinkt bis zu 600 Liter Muttermilch am Tag.

724. Nur fünf Prozent aller Gefangenen in Deutschland sind Frauen.

725. In Deutschland sind 2005 bei Treppenstürzen 1071 Menschen tödlich verunglückt, bei Stürzen aus dem Bett gab es 293 Todesopfer.

726. 1974 REISTEN MEHR ENGLÄNDER IN DIE DDR ALS NACH GRIECHENLAND.

727. SMS-Schreiben hinterm Steuer kann in Großbritannien bis zu 1500 Euro Strafe kosten.

728. Parmesan ist das meist geklaute Produkt in italienischen Supermärkten. Eines von zehn Käsestücken verschwindet.

729. Psychiater begehen doppelt so häufig Selbstmord wie ihre Patienten.

730. Männliche Affen können Glatzen bekommen.

731. Die Anklage im Prozess des Bombenanschlags in Madrid 2004 plädiert auf insgesamt 200.000 Jahre Gefängnis.

732. Ein guter Schwimmer kann im Eiswasser maximal 200 Meter zurücklegen, ehe er stirbt.

733. Das neue Gehege der kostbaren Goldstrumpfnasenaffen im Zoo von Los Angeles wird von einer Feng-Shui-Meisterin kreiert.

734. Die Schauspieler Ewan McGregor und Jude Law wohnten Anfang der 1990er gemeinsam in einer WG in London.

735. 42 Prozent der Deutschen machen am liebsten in Deutschland Urlaub.

736. In der EU gibt es mehr Handys als Menschen.

737. Im schwedischen Original heißt »Michel« aus Lönneberga »Emil«. In Deutschland war der Name schon durch »Emil und die Detektive« besetzt.

738. Im Körper eines Blauwals zirkulieren 10.000 Liter Blut. Die Hauptschlagader hat einen Durchmesser von 50 Zentimetern.

739. Der durchschnittliche US-Haushalt empfängt 400 Fernsehkanäle.

740. Das Wort Vanille ist von Vagina abgeleitet.

741. Löcherkraken-Weibchen wiegen fünf Kilo, Männchen ein Viertelgramm.

742. 34 PROZENT ALLER DEUT-SCHEN TRÄUMEN NACHTS VON IHRER ARBEIT.

743. Eisbären können bis zu 65 Kilometer weit ohne Pause schwimmen.

744. Kropfbänder wurden früher Bräuten um den Hals gebunden, um von da an eine Schwangerschaft »abzumessen«. Weil bei Schwangeren die Schilddrüse größer wird, wächst der Halsumfang schon lange vor dem Bauch.

745. Die Adresse des Papstes lautet: Seine Heiligkeit Papst Benedikt XVI., I-00120 Città del Vaticano. Seine E-Mail-Adresse: benediktxvi@vatican.va.

746. Nur drei Prozent der Deutschen, aber 46 Prozent der Finnen glauben, dass ihre Kinder es einmal leichter haben werden als sie selbst.

747. Während des Schlafens wechselt man stündlich etwa zehnmal die Liegeposition.

748. Gisele Bündchen wollte eigentlich professionelle Volleyballspielerin werden.

749. Die Frau des größten Mannes der Welt (2,36 Meter) ist 1,68 Meter groß.

750. Der Ausdruck »kalte Füße bekommen« stammt vom Poker, das früher oft illegal in kalten Kellern gespielt wurde. Feiglinge versuchten mit der fröstelnden Ausrede, die Zocker-Runde vorzeitig abzubrechen.

751. 70 Prozent der weltweit veröffentlichen Literatur zum Thema Steuern wurde auf Deutsch veröffentlicht.

752. Die Antibabypille, die dem Flusspferd Brandy im Leipziger Zoo täglich verabreicht wird, wiegt 120 Gramm.

753. 150 000 Abfallteile alter Raumfahrtmissionen sausen derzeit um die Erde.

754. Die Nudel aus dem berühmten Loriotsketch war keine Nudel, sondern ein Papierröllchen.

755. In Ägypten grüßt man einander mit einem Satz, der übersetzt »Wie schwitzt Du?« bedeutet.

756. AUS EINER BOING 747 LASSEN SICH 6 MILLIONEN BIER-DOSEN MACHEN.

757. Schweizer tragen den Ehering links, weil er dann näher am Herzen ist.

758. Lucky Luke hat 1982 mit dem Rauchen aufgehört.

759. M&Ms wurden entwickelt, damit Soldaten Schokolade essen konnten, ohne klebrige Finger zu bekommen.

760. Das erste Handy der damals noch unbekannten finnischen Firma Nokia wurde 1982 vorgestellt und wog 9,8 Kilo.

761. Der häufigste einbuchstabige Nachname weltweit ist »O«.

762. Während die Mauer fiel, saß Angela Merkel in der Sauna.

763. »Smoke on the water« von Deep Purple handelt vom Casinobrand in Montreux 1971.

764. Das schwangere Gürteltier kann die Entwicklung seines Embryos bis zu drei Jahre hinauszögern, falls eine Dürre oder Nahrungsmangel droht.

765. Benediktinermönche tranken im Mittelalter täglich 4,5 Liter Bier.

766. Wenn man errötet, erröten auch die Magenwände.

767. Auf »Mensch« reimt sich kein anderes deutsches Wort.

768. Die erste weibliche Stuntfliegerin der deutschen Filmgeschichte war Beate Uhse.

769. Die russische Atombehörde heißt Rosatom.

770. Das Vermögen der drei reichsten Menschen der Welt entspricht den gesamten Bruttoinlandsprodukten der 48 ärmsten Nationen.

771. Für den Namen des libyschen Revolutionsführers gibt es mehr als 115 offizielle Schreibweisen.

772. DREIFARBIGE KATZEN SIND FAST IMMER WEIBLICH.

773. Queen Elizabeth verschickte ihre allererste E-Mail 1976 von einer britischen Militärbasis.

774. Der US-Soldat John Rambo starb 1969 in Vietnam.

775. **DIE ERSTE BESCHREI-BUNG EINES WEIBLICHEN ORGASMUS STAMMT VON DER NONNE HILDEGARD VON BINGEN.**

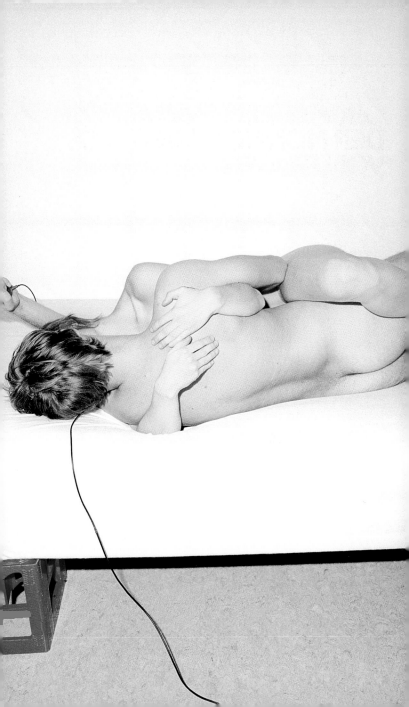

776. Ein während eines Telefonats erhaltener Blowjob heißt im US-Slang »A Bill Clinton«.

777. Im Gefängnis darf man keine Mohnbrötchen essen. Es kann nicht unterschieden werden, ob die Opiatspuren im Urin von Rauschgift oder Mohngebäck stammen.

778. Die Guide-Horse-Foundation hat sich dem Ziel verschrieben, mit Zwergpferden eine kostengünstige Alternative zu Blindenhunden anzubieten.

779. Eines der östlichsten, immer noch deutschsprachigen Dörfer liegt in Kirgisien, kurz vor der Grenze zu China. Es heißt: Rotfront.

780. Beautiful: Im Schweizer Skiort Verbier ist ein Skilift nach dem Sänger James Blunt benannt.

781. REIS HAT MEHR GENE ALS DER MENSCH.

782. Eigentlich hätte Ronald Reagan in dem Film »Casablanca« Humphrey Bogarts Rolle spielen sollen, aber Warner beschloss, den Etat vom B- zum A-Movie aufzustocken.

783. Der erste deutsche Rap stammt von Thomas Gottschalk. Er machte 1980 den Klassiker »Rapper's Delight« zu »Rapper's Deutsch«.

784. Der deutsche Dackel ist in der demografischen Krise. Seit 1996 ist die Geburtenrate um fast 40 Prozent abgesackt.

785. Adolf Hitler wurde 1932 in Braunschweig als Beamter eingestellt, damit er deutscher Staatsbürger werden konnte. Er stellte sofort mehrere Urlaubsanträge und trat die Stelle nie an.

786. Häufiges Masturbieren in der Pubertät schützt vor Prostatakrebs.

787. Die Niederschlagsmenge in deutschen Romanen ist doppelt so hoch wie in der Realität.

788. Das häufigste im Internet genutzte Passwort ist 123456.

789. Zwei Drittel aller Menschen halten die Nase beim Küssen rechts.

790. Wolfgang Amadeus Mozart komponierte 1782 die Kanons »Leck mich im Arsch« und »Leck mir den Arsch fein recht schön sauber«.

791. Bob Dylan arbeitet nebenberuflich als Winzer.

792. Wenn Kühe zu viele Karotten essen, nimmt ihre Milch eine rosa Farbe an.

793. Österreich ist das schwerste Land Europas. Es wiegt 112 Milliarden Tonnen pro Quadratkilometer.

794. TOKIO HOTEL HIESSEN FRÜHER DEVILISH.

795. Die längste Wurst der Welt wurde von serbischen Metzgern hergestellt und war zwei Kilometer lang. Eigentlich wollten die Metzger damit ins Guinness-Buch der Rekorde. Die Jury kam aber nicht.

796. Der erste Roman wurde um das Jahr 1000 von einer Japanerin geschrieben.

797. Weil Edward de Vere, der 17. Earl of Oxford, im 16. Jahrhundert in Gegenwart von Queen Elizabeth I. laut furzte, ging er vor Scham sieben Jahre ins Exil. Als er zurückkehrte, begrüßte ihn die Queen mit den Worten: »Mylord, ich habe Ihren Furz nicht vergessen.«

798. Frauen mit großen, operierten Brüsten und schmalen Hüften werden in L.A. »Tits on Sticks« genannt.

799. Jimi Hendrix' erstes Instrument: eine einsaitige Ukulele.

800. 57 Prozent der Deutschen zwischen 18 und 29 halten die USA für bedrohlicher als den Iran.

801. Die französische Armee trug 1915 als erste Camouflage-Uniformen. Die Tarnmuster waren vom Kubismus beeinflusst.

802. Rund 80 Prozent aller Grabsteine auf deutschen Friedhöfen werden in Indien gefertigt.

803. Der schnellste Rapper der Welt ist Ricky Brown alias No Clue. Er kann 723 Silben in 51,73 Sekunden rappen.

804. In der deutschen Fahrradhauptstadt Münster werden jedes Jahr mehr als 6000 Fahrräder gestohlen.

805. Jeder vierte Todesfall bei jungen Männern im Alter zwischen 15 und 29 Jahren in Europa ist auf übermäßigen Alkoholkonsum zurückzuführen.

806. »Katie Holmes« ist ein Anagramm von »Tom likes a He«.

807. Der Vorname der US-Außenministerin Condoleezza Rice ist eine Ableitung der musikalischen Vortragsbezeichnung »con dolcezza« – »mit Süße«.

808. Der Charakter des Star-Wars-Helden Han Solo beruht auf George Lucas' Freund, dem Regisseur Francis Ford Coppola. Das Aussehen Chewbaccas auf Lucas' damaligem Hund Indiana.

809. Die Farbe von Hühnereiern kann man anhand der Farbe der Ohrenscheiben des Huhns voraussagen. Rote Lappen – braune Eier. Weiße Lappen – weiße Eier.

810. Wenn der bayrische Ministerpräsident Franz Josef Strauß in den Achtzigern seinen Freund, den togolesischen Diktator Gnassingbé Eyadéma, besuchte, sangen Schulkinder ihm zu Ehren »Josef ist der Größte«.

811. Deutsche Schauspieler, die im »Schulmädchen-Report« groß rauskamen: Heiner Lauterbach, Konstantin Wecker, Sascha Hehn, Friedrich von Thun, Lisa Fitz, Jutta Speidel.

812. Spinnen können mit Hilfe des Windes und ihrer Fäden kilometerweit über offene Ozeane segeln und so neue Inseln besiedeln.

813. **SEIT MITTE DER NEUNZIGER BIETEN VIELE SCHOTTISCHE IMBISSBUDEN FRITTIERTE MARS-RIEGEL AN.**

814. Das weltweit einzige Säugetierphallus-Museum befindet sich in dem isländischen Dorf Húsavík.

815.   Die Anhänger der malaysischen Sekte »Sky Kingdom« verehrten eine riesige Teekanne und einen Regenschirm. Beide Skulpturen wurden 2005 im Auftrag der Behörden zerstört.

816.   Damit die US-Soldaten im Einsatz nicht zu viel Wasser mitschleppen müssen, können die Fertiggerichte notfalls mit Urin zubereitet werden.

817. SUDOKU WURDE IM 18. JAHRHUNDERT VON EINEM SCHWEIZER ERFUNDEN.

818.   Michael Jackson hat 1993 ein Patent auf einen Illusionstrick zur Überwindung der Schwerkraft angemeldet.

819.   Albert Einstein hat einen Kühlschrank erfunden.

820.   Diktator Kim Jong Il hat an dem Drehbuch zu einem nordkoreanischen Erfolgsfilm mit dem Titel »Tagebuch einer Schülerin« mitgearbeitet.

821.   Matt Groening, der Erfinder der Simpsons, ist Linkshänder. Daher sind auch fast alle Figuren bei den Simpsons Linkshänder.

822.   Bud Spencer war der erste Italiener, der 100 Meter Freistil unter einer Minute schwamm.

823.   Das Wort Schilderwald kann man in keine Sprache übersetzen.

824.   Das Wasser der Kokosnuss kann bei starkem Blutverlust als Serum injiziert werden.

825. Henry Ford besaß ein Reagenzglas, in dem der letzte Atemzug von Thomas A. Edison, dem Erfinder der Glühbirne, aufgefangen wurde.

826. In Paris werden überdimensionierte Pfeffermühlen »Rubirosa« genannt. Dies geht auf den Diplomaten, Sportler und Playboy Porfirio Rubirosa zurück, der angeblich auf seinem Penis einen Restauranttisch balancieren konnte.

827. Das Lieblingsgetränk von Benedikt XVI. ist Fanta.

828. Fledermausmännchen haben entweder ein großes Hirn oder große Hoden. Beides zusammen geht nicht.

829. Im deutschen Abfallrecht gibt es über 10 000 Regelungen.

830. Die Richtung, in der Hunde mit dem Schwanz wedeln, zeigt an, wie sie sich fühlen. Wedelt ein Hund mehr nach links, würde er am liebsten weglaufen, wedelt er nach rechts, freut er sich.

831. THOMAS BERNHARD WAR FAN VON PRINCE.

832. Wenn Japaner in E-Mails Freude ausdrücken wollen, steht dort nicht die Zeichenfolge :), sondern ^-^.

833. 11 000 Liter Wasser sind nötig, um das Rindfleisch für nur einen Hamburger zu erzeugen. In einem Kilo Kaffeepulver stecken 20 000 Liter Wasser.

834. Die Raumsonde Voyager 1 hält Grußbotschaften an Außerirdische in 55 Sprachen bereit.

835. Tesa heißt in Österreich Tixo.

836. Im arabischen Raum heißt Homer Simpson »Omar Shamshoon«.

837. Alan Smithee ist das Pseudonym für Drehbuchautoren, die mit dem Film unzufrieden sind und ihren Namen zurückziehen.

838. Der erste Geldautomat wurde 1939 von der City Bank of New York betrieben und wegen mangelnder Akzeptanz wieder abgeschafft.

839. Die erste Ampel der Welt stand 1868 vor den Londoner Houses of Parliament. Sie explodierte allerdings schon nach sehr kurzer Betriebszeit.

840. Der erste Neckermann-Katalog hatte die Nummer 119, um eine lange Versandhaustradition vorzutäuschen.

841. VILEDA-TÜCHER HEISSEN SO, WEIL SIE ANGEBLICH SO GUT PUTZEN WIE LEDER.

842. Der islamische Gesichtsschleier sansibarischer Frauen heißt Ninja – nach den maskierten japanischen Kämpfern.

843. Theodor I., der einzige König, den Korsika je hatte, kam aus Pungelscheid im Sauerland.

844. John F. Kennedy ließ sich von seinem Pressesprecher 1200 Havanna-Zigarren besorgen, bevor er das Embargo gegen kubanische Produkte unterschrieb.

845. Der Komponist Arnold Schönberg, Erfinder der Zwölftonmusik, hatte panische Angst vor der Zahl 13. Er starb am Freitag, dem 13. Juli 1951.

846. Der französische Kunstfurzer Joseph Pujol war um 1900 so populär, dass er für seine Auftritte im Moulin Rouge zeitweise mehr Gage erhielt als der Theaterstar Sarah Bernhardt. Pujol konnte rektal Zigaretten rauchen, Kerzen ausblasen, Blasinstrumente spielen und das große Erdbeben von San Francisco imitieren.

847. Kim Jong Il war in den Neunzigern der größte Privatkunde der Cognacfirma Hennessy.

848. Im Steuerparadies Cayman-Inseln gibt es 42 000 Einwohner, 40 000 Unternehmen und die größte Faxgerätdichte der Welt.

849. Der berühmte Detektiv Allan Pinkerton starb an einer Blutvergiftung, nachdem er bei einem Spaziergang gestolpert war und sich auf die Zunge gebissen hatte.

850. Die amerikanische Schauspielerin Jamie Lee Curtis hat 1987 ein Patent auf eine Wegwerfwindel mit eingebauter Tasche angemeldet.

851. **DIE FINGERNÄGEL WACHSEN IM LEBEN EINES MENSCHEN DURCHSCHNITTLICH 28 METER.**

852. Der Philosoph Francis Bacon starb an den Folgen einer Unterkühlung, die er sich bei dem Versuch zugezogen hatte, ein Huhn durch Ausstopfen mit Schnee haltbar zu machen.

853. **DIE MEHRHEIT DER FRAUEN HAT SICH ZWISCHEN 11 UND 13 ZUM ERSTEN MAL RASIERT, DIE MEISTEN MÄNNER ERST MIT 14 ODER 15.**

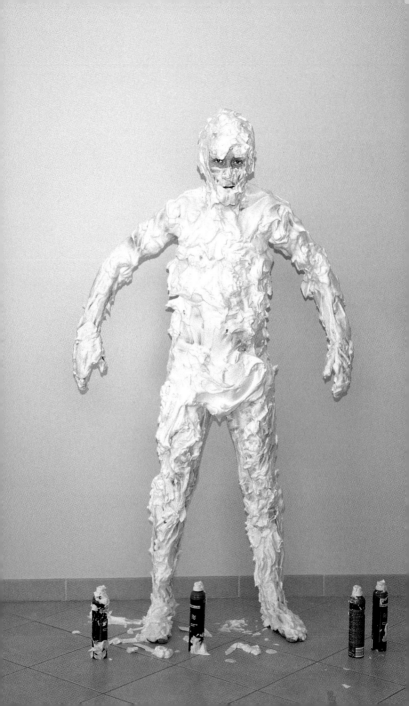

854.   Die Selbstmordrate von Frauen mit künstlichen Brüsten ist 73 Prozent höher als die von Frauen mit naturbelassenen Brüsten.

855.   Die Teilnahme des japanischen Spielers Naohiro Takahara an der Fußball-WM in Deutschland sorgte in Tansania für große Erheiterung. Sein Nachname bedeutet auf Kiswahili »will kacken«.

856.   Beim Spiel FC Barcelona gegen Real Madrid am 23.11.02 wurde Luis Figo von den Fans aus Barcelona mit einem Spanferkelkopf beworfen.

857.   Otto von Bismarck wurde 1862 von einem Leuchtturmwärter vor dem Ertrinken gerettet. Zwei Wochen später ertrank der Wärter an derselben Stelle.

858.   Surströmming, stark riechender vergorener Hering, gilt zwar in Schweden als Delikatesse, auf Flügen von Air France und British Airways ist die Mitnahme von Surströmming-Dosen wegen Explosionsgefahr aber ausdrücklich untersagt. Das Öffnen einer Dose Surströmming im Treppenhaus kann laut Urteil des Landgerichts Köln für den Vermieter einen Kündigungsgrund darstellen.

859. # IN ENGLAND GIBT ES EINE TELEFONHOTLINE NUR FÜR RICHTER, DIE STRAFTATEN BEGANGEN HABEN.

860.   In Australien wurde eine Krötenart entdeckt, die so groß wie ein kleines Schwein wird und kleine Kälber frisst.

861. Die Erde dreht sich schneller, wenn auf der nördlichen Hemisphäre die Blätter fallen.

862. Die ersten Plateauschuhtrends gab es im 15. Jahrhundert in Frankreich und Italien. Die Absätze waren bis zu 20 Zentimeter hoch.

863. Am Wochenende ist das Wetter wirklich schlechter als an Werktagen.

864. Eisbären werden oft verhaltensgestört, wenn sie von Menschen aufgezogen werden: Einer wurde von einem Weibchen verdroschen, als er sich paaren wollte, ein anderer fürchtet sich heute vor Eis.

865. Da sich der Countdown stundenlang verzögerte, erhielt der erste US-Astronaut Alan B. Shepard von der Bodenkontrolle die Erlaubnis, in die Hose zu machen.

866. 12 500 000 Plastikringe wurden für die Kettenhemden der Statisten in »Herr der Ringe« verarbeitet.

867. Die E-Jugend des britischen Provinzclubs Greenbank FC hat einen neuen Trikotsponsor: Motörhead.

868. DER PHILOSOPH PLATON WAR EINER DER BESTEN FREISTIL-RINGER SEINER ZEIT.

869. Die Abkürzung MILF steht für die islamische Bewegung »Moro Islamic Liberation Front«, im Jargon von US-Pornoseiten aber auch für eine begehrenswerte Mutter, eine »Mother I'd Like to Fuck«.

870. Die Bronzeskulptur des ersten festen Babykots von Tom Cruises Tochter Suri wurde für 10 000 Euro von den Betreibern eines Onlinekasinos ersteigert.

871. Die finnische Sprache hat 15 Fälle, die baskische 11.

872. »Harry Potter und der Stein der Weisen« wurde in den USA in »Harry Potter und der Stein der Hexen« umbenannt, weil der ursprüngliche Titel als zu schwierig galt.

873. Die Thailänderin Jaeyaena Beuraheng stieg in den falschen Bus, fuhr aus Versehen 1200 Kilometer in den Norden des Landes und blieb da für 25 Jahre.

874. Bei Giraffen werden 94 von 100 Geschlechtsakten unter gleichgeschlechtlichen Partnern ausgeführt.

875. Der Internetshop jesuschristsuperstore.net verkauft auch Actionfiguren von Heiligen. Allah gibt es als leere Packung mit dem Hinweis: »Der, der nicht gezeigt werden darf.«

876. Gottesanbeterinnen beißen beim Sex den männlichen Artgenossen oft den Kopf ab.

877. Die Oscar-Preisträgerin Hilary Swank und die Comic-Figur Bart Simpson haben dieselbe deutsche Synchronsprecherin. Sie heißt Sandra Schwittau.

878. Der Weltrekord im rückwärts Fahrradfahren und dabei Geigespielen liegt bei 60,45 Kilometern in 5 Stunden und 9 Minuten.

879. Es gibt einen nach Adolf Hitler benannten Käfer: Anophtalmus hitleri. Er lebt in Höhlen in Slowenien.

880.   Als 1965 »Marmor, Stein und Eisen bricht« erschien, durfte es wegen des falsch gebeugten Verbs in Bayern nicht öffentlich gespielt werden.

881.   Die Reform des Hufbeschlaggesetzes von 1940 wurde 2006 vom Bundestag mit einem Papieraufkommen von 20 000 Blatt vollzogen.

882.   Der Filmemacher und Meeresschützer Jacques Cousteau entdeckte im Auftrag von BP die ersten Unterseeölquellen im Persischen Golf.

883. ROLAND KAISER HEISST MIT BÜRGERLICHEM NAMEN RONALD KEILER.

884.   Der Maikäfer heißt in den USA Junebug – Junikäfer.

885.   Das Schweizer Militär nennt Brieftauben »selbstreproduzierende Kleinflugkörper auf biologischer Basis mit fest programmierter automatischer Rückkehr aus allen beliebigen Richtungen und Distanzen«.

886.   Cheeta, der Affe in den ersten Tarzan-Filmen der 30er Jahre, lebt in einem kalifornischen Altersheim für Tiere. Er feierte in diesem Jahr seinen 75. Geburtstag.

887.   Der Heinrich-Mann-Enkel Saranam Ludvik Mann betreibt in Berlin ein Tantrasex-Therapiestudio.

888.   Hirohito, Japans Kaiser während des Zweiten Weltkriegs, war einer der angesehensten Quallenexperten der Welt. Er taufte fast 400 Quallenarten.

889. Der Nepalese Chanda Musalman ist bei den Behörden sowohl als Mann und Frau gemeldet.

890. »Fisimatenten« leitet sich von »Visitez ma tente!« ab – »Besuchen Sie mein Zelt«. Mit dem Satz sollen während der napoleonischen Kriege französische Soldaten deutsche Frauen angebaggert haben.

891. Die US-Punkband Helmet benannte sich nach Helmut Kohl.

892. Whirlpool heißt auf Norwegisch »Boblebad«.

893. Afrikas berühmteste Schwarzwälder Kirschtorte gibt es im Café Anton im namibischen Swakopmund.

894. **DER BELIEBTESTE SAFTCOCK- TAIL DES BEIRUTER FAST-FOOD- RESTAURANTS »BARBAR« HEISST »HITLER«.**

895. In Finnland gibt es »Schneedeponien«. Der gesammelte Schnee wird später in die Ostsee gekippt.

896. Nicholas Barbon, der nach einem Großbrand in London 1667 die Brandversicherung erfand, hieß mit zweitem Namen If-Jesus-had-not-died-for-thee-thou-hadst-been-damned.

897. Der US-Richter Donald Thompson hat sich mindestens 15-mal im Gerichtssaal entblößt und während vier Verhandlungen eine Penispumpe benutzt. Er wurde im August 2006 zu vier Jahren Gefängnis verurteilt.

898. Beim Menschen machen die Hoden ein Tausendstel des Körpergewichts aus. Bei Fischen während der Paarungszeit bis zu einem Drittel.

899. Der Diätexperte Robert Atkins war laut einem medizinischen Bericht zum Zeitpunkt seines Todes übergewichtig.

900. Martin Luther verwendete in seiner Übersetzung der Schöpfungsgeschichte für »Frau« das Wort »Männin«.

901. Als seine Beziehung zu Winona Ryder in die Brüche ging, stach sich Johnny Depp sein Oberarmtattoo um. Aus »Winona Forever« wurde »Wino Forever«

902. Engländerinnen haben die größten Brüste Europas. 57 Prozent tragen mindestens Körbchengröße D.

903. Steinböcke verunglücken im Haushalt 16,4 Prozent mal häufiger als der Durchschnitt aller Sternzeichen.

904. Quentin Tarantino und Oliver Stone übernahmen jeweils eine Gastregie für die »Itchy und Scratchie Show« bei den Simpsons.

905. DIE ERSTE BANK FÜR MUSCHELGELD WURDE 2002 IN PAPUA-NEUGUINEA ERÖFFNET.

906. Die Spaceshuttlecontainer, in denen der Müll von der internationalen Raumstation ISS abtransportiert wird, heißen »Leonardo«, »Donatello« und »Raffaello«.

907. Für Rotgrünblinde ist ein Regenbogen nur gelb-blau.

908. # DAS MÜNCHNER BORDELL »HERZ AS« LIEGT IN DER TRIEB-STRASSE.

909.   Die Töchter von Bob Geldof heißen Peaches Honeyblossom Michelle Charlotte Angel Vanessa, Fifi Trixibelle und Pixie Frou-Frou.

910.   Bob Geldof hat außerdem das Sorgerecht für Heavenly Hiraani Tigerlily Hutchence-Yates, die Tochter des verstorbenen INXS-Sängers Michael Hutchence und seiner Frau Paula Yates.

911.   In Japan schließen Golfer eine »Hole-in-one«-Versicherung ab, weil sie im Fall eines Asses all ihren Freunden ein Geschenk machen müssen.

912.   Der richtige Name des Krümelmonsters aus der Sesamstraße lautet »Sid«.

913.   Bei der Entwicklung des elektrischen Stuhls wurde 1903 die Elefantenkuh »Topsy« umgebracht. Sie hatte im Laufe ihres Lebens drei Wärter getötet.

914.   Thomas A. Edison, der Erfinder der Glühbirne, hielt das Geschehen auf einem Film fest, der bis heute erhalten ist.

915.   Der ehemalige sowjetische Präsident Michail Gorbatschow erhielt 2004 einen Grammy.

916.   Weibliche Frettchen sterben an Östrogenvergiftung, wenn sie läufig sind und nicht gedeckt werden.

917.   Wird ein Mann von einer Frau angelächelt, macht ihn das zwar für andere Frauen attraktiver, bei Männern sinkt jedoch seine Wertschätzung.

918.   Den ersten Oscar für die beste männliche Hauptrolle bekam 1929 der deutsche Schauspieler Emil Jannings.

919. Im Schnitt produziert ein Hund täglich 350 Gramm Kot.

920. Die bestbezahlte Schauspielerin der Welt ist Reese Witherspoon. Für ihre Rolle in dem Film »Our Family Trouble« bekam sie 29 Millionen Dollar.

921. Jeder Mensch träumt durchschnittlich vier Träume pro Nacht.

922. Elefanten sind die einzigen Säugetiere, die nicht springen können.

923. Die Warhol-Attentäterin Valerie Solanas war Gründerin und einziges Mitglied der »Society for Cutting up Men«, der Gesellschaft zur Vernichtung der Männer.

924. Türken essen doppelt so viel Joghurt wie Deutsche.

925. Alle Ein-Cent-Stücke sind zusammen 157 Millionen Euro wert.

926. NUR ZWEI PROZENT DER WELTBEVÖLKERUNG SIND BLOND.

927. Der Name BenQ steht für Bringing Enjoyment and Quality to Life.

928. Bei Männern heißt übermäßiger Geschlechtstrieb nicht Nymphomanie sondern Satyriasis.

929. Die USA entwickeln zur Zeit eine Atombombe mit Diebstahlschutz.

930.   Die erste Autobombe zündete der Anarchist Mario Buda 1920 in der Nähe der New Yorker Wall Street. Genau genommen handelte es sich um eine »Kutschenbombe«.

931.   Eine Flasche BLING H2O Mineralwasser kostet in ausgewählten Fachgeschäften rund 45 Euro.

932.   Die lateinische Version von Wikipedia heißt Vicipædia.

933.   Die drei häufigsten deutschen Wörter sind »der«, »die« und »und«.

934.   Das Video zu »Bakerman«, dem Hit des dänischen Popduos Laid Back, drehte Lars von Trier.

935.   Der Werbegrafiker Holm von Czettritz wurde von Andreas Baader gebeten, das Logo der RAF zu überarbeiten.

936. IN LONDON FÄLLT WENIGER REGEN ALS IN ROM.

937.   Ein bekanntes japanisches Haiku lautet: »Auf dem Seerosenblatt der Frosch / aber was macht er / für ein Gesicht?«

938.   Sex mit Tieren ist in Deutschland seit 1969 gesetzlich erlaubt.

939.   Bei der Gestaltung des Monsters für den Film »Alien« ließ sich Künstler H. R. Giger von der Tiefseekrebsart Phronima inspirieren.

940.   Der Künstlername des Rappers Sido ist die Abkürzung für »Super-intelligentes Drogenopfer«.

941. Frauen kleiden sich an ihren fruchtbaren Tagen modischer und freizügiger.

942. Die meisten UFOs werden auf der Nevada State Route 375 gesichtet. Die Straße wird deshalb »Extraterrestrial Highway« genannt.

943. Die Stummfilmschauspielerin Clara Bow spielte 1927 die Hauptrolle in dem Film »The It Girl«. Seither wird im Showgeschäft das Mädchen der Stunde It-Girl genannt.

944. Eine mittelgroße Schönwetterwolke wiegt so viel wie 80 Elefanten.

945. Franz Müntefering zählt bis hundert, wenn er kalt duscht.

946. Schwarze Kleidung wurde früher bei Totenfeiern nur zur Tarnung getragen – um sich vor dem Geist des Toten zu schützen.

947. Die Rolling Stones haben ihren Geschäftssitz nach Holland verlegt – aus steuerlichen Gründen.

948. Eine Epidemie unter Tieren heißt Epizootie.

949. Der neuseeländische Forscher James Flynn fand heraus, dass sich die Ergebnisse von IQ-Tests von Generation zu Generation verbessern.

950. ZDF-Moderator Rudi Cerne wurde 1978 auf dem Düsseldorfer Flughafen festgenommen, weil er für den RAF-Terroristen Christian Klar gehalten wurde.

951. Schweine können nicht schwitzen.

952. AN BORD DER QUEEN MARY II GIBT ES EINE BRAUEREI.

953.   Im 19. Jahrhundert wurde in deutschen Städten sogenanntes Schauwaschen veranstaltet, um Werbung für die neu erfundene Waschmaschine zu machen.

954.   Chopsuey ist eine amerikanische Erfindung, Ketchup eine chinesische.

955.   In Saudi-Arabien gibt es keinen einzigen Fluss.

956.   Clemens Wilmenrod war der erste Fernsehkoch Deutschlands und gilt als Erfinder des Toast Hawaii.

957. CELINE DION HAT 13 GESCHWISTER.

958.   Der statistisch sicherste Platz im Auto ist hinten in der Mitte.

959.   Ein Kaninchen macht im Schnitt 18 Nickerchen pro Tag.

960.   Ein Panzerabwehrhund, auch Hundemine genannt, ist ein mit Sprengstoff beladener Hund, der ausgebildet wird, um unter feindliche Panzer zu laufen.

961.   Die Queen ist gelernte Lastwagenmechanikerin.

962.   Jodie Fosters Mutter war lesbisch.

963.   Der Metallring eines Bleistifts, der den Radiergummi umschließt, heißt Ferrule.

964.   Wladimir Putin ist Koautor des Buches »Judo: Geschichte, Theorie, Praxis«.

965. Frauen blinzeln fast doppelt so viel wie Männer.

966. Psycho war der erste Hollywoodfilm, der das Spülen einer Toilette zeigte.

967. IN DEN USA IST NICHT NUR EIN GROSSTEIL DER MENSCHEN ZU DICK, SONDERN AUCH DER PFERDE.

968. Die Konservendose wurde 1804 erfunden, der Dosenöffner erst 54 Jahre später.

969. Auf Angelina Jolies Bauch ist der Satz tätowiert: »Quod me nutrit me destruit« (»Was mich nährt, zerstört mich«).

970. Schimpansen lassen sich vom menschlichen Gähnen anstecken.

971. Hamburg hat die meisten Brücken aller europäischen Städte, nämlich 2438.

972. Der kalifornische Ort Zzyzx ist der letzte im Alphabet der bestätigten Ortsnamen Amerikas.

973. Streicher in Play-back-Orchestern schmieren die Bögen ihrer Instrumente mit Fett ein, damit sie keinen Ton erzeugen.

974. Die meisten Milliardäre der Welt leben in Moskau.

975. Bisher ist kein amerikanischer Präsident im Monat Mai gestorben.

976.   Mollige Frauen werden von hungrigen Männern als attraktiver empfunden als von satten Männern.

977.   Freddy Quinn spricht Englisch, Französisch, Italienisch, Flämisch, Finnisch und Türkisch.

978. ARCHITEKTUR WAR ZWISCHEN 1912 UND 1948 EINE OLYMPISCHE DISZIPLIN.

979.   Clint Eastwood, Joseph Beuys, Rowan Atkinson und Uli Hoeneß haben eines gemeinsam: Sie überlebten einen Flugzeugabsturz.

980.   Die Angst vor langen Wörtern heißt Hippopotamomonstrosesquipedaliophobie.

981.   Die Britin Jill Drake stieß den lautesten, jemals gemessenen Schrei aus. Sie kam auf 129 Dezibel, die Lautstärke eines startenden Flugzeugs.

982.   Alle Kopfhaare zusammen wachsen im Monat einen Kilometer.

983.   Der Entertainer Guildo Horn heißt mit richtigem Namen Horst Köhler.

984.   Seelöwen kann man verjagen, indem man sie mit Wasser bespritzt.

985.   Paragraf 27, Absatz 6 der Straßenverkehrsordnung untersagt Soldaten, im Gleichschritt auf Brücken zu marschieren, weil diese sonst einstürzen können.

986. Jede Minute wird eine neue chemische Formel entdeckt.

987. Der erste Wellensittich kam, ausgestopft, 1831 von Australien nach Europa.

988. »Scream« sollte ursprünglich »Scary Movie« heißen.

989. Der Vater von Pamela Anderson ist Mitglied im Hochbegabtenverein Mensa, für den man einen IQ von mindestens 130 nachweisen muss.

990. Windräder drehen sich immer rechtsherum.

991. Kinder essen Karotten eher, wenn sie in einer McDonald's-Schachtel serviert werden.

992. DIE EINHEIT, MIT DER MAN DIE SCHÄRFE VON CHILIS MISST, HEISST SCOVILLE.

993. Das Ätherophon war das erste elektrische Musikinstrument. Es lässt sich ohne Berührung spielen.

994. Michael Jackson besitzt die Rechte an der Hymne von South Carolina.

995. Bei Uhren in Werbeanzeigen stehen die Zeiger fast immer auf zehn Uhr, acht Minuten – unabhängig vom Hersteller.

996. Osama bin Laden hat 53 Geschwister.

997. Vor 1800 gab es keine unterschiedlichen Schuhe für rechts und links.

998. Grace Kelly war die erste Unfalltote eines Krankenhauses, das sie selbst gestiftet und eingeweiht hatte.

999. Eskimos benutzen Kühlschränke, damit ihnen die Lebensmittel nicht einfrieren.

1000. Menschen zwischen 56 und 65 Jahren sind in Deutschland sexuell aktiver als die unter 25.

1001. ELVIS PRESLEY GAB NIEMALS ZUGABEN.

1002. Der stärkste Muskel im menschlichen Körper ist die Zunge.

1003. Ein Handy leistet heute mehr als ein Großrechner aus der Zeit der Mondlandung.

1004. Anthropologen haben noch kein Volk entdeckt, bei dem Kinder nicht Versteck spielen.

1005. Wenn man eine Zwiebel durchschneidet und sich damit die Fußsohle einreibt, hat man eine Stunde später den Geschmack von Zwiebel im Mund.

1006. Babys werden ohne Kniescheiben geboren.

1007. Nur 1/25 der von einer Glühbirne abgestrahlten Energie ist Licht, der Rest ist Wärme.

1008. Kraken haben drei Herzen.

1009. Kleopatra war keine Ägypterin, sondern Griechin.

1010. Der Schatten eines Flugzeugs ist immer gleich groß. Egal, wie hoch oder tief es fliegt.

1011. Eine Gruppe von Gänsen auf dem Boden heißt Herde, eine Gruppe Gänse in der Luft heißt Schwarm.

1012. In Russland bringt nicht das Christkind oder der Weihnachtsmann, sondern Väterchen Frost die Geschenke – und zwar am 31. Dezember.

1013. NACH ÜBERMÄSSIGEM ESSEN HÖRT MAN SCHLECHTER.

1014. Tiger haben nicht nur gestreiftes Fell, sondern auch gestreifte Haut.

1015. Jedes Jahr ersticken 100 Menschen an einem Kugelschreiber.

1016. Wenn Speiseeis den Magen erreicht, hat es bereits eine Temperatur von 20 Grad.

1017. In Europa wird etwa jede dritte Schwangerschaft abgebrochen.

1018. Am 28. Januar 2005 fiel in der Sahara Schnee.

1019. Im Pentagon gibt es doppelt so viele Klos wie notwendig. Zum Zeitpunkt des Baus, 1940, herrschte in Virginia Rassentrennung, die separate Einrichtungen für Weiße und Schwarze vorschrieb.

1020. Schizophrene gähnen so gut wie nie.

1021. »TIRAMISU« HEISST »ZIEH MICH HOCH«.

1022.   Es existiert eine Meeresschnecke mit der Gattungsbezeichnung »Bufonaria borisbeckeri«.

1023.   Zwischen dem 40. und dem 70. Lebensjahr werden Männer im Schnitt um drei, Frauen um fünf Zentimeter kleiner.

1024.   Fritz Lang hat in seinem Film »Frau im Mond« von 1929 den Countdown erfunden, wie er noch heute bei Raketenstarts verwendet wird.

1025.   Bei einem Zungenkuss werden durchschnittlich 60 Milligramm Wasser, je 0,7 Milligramm Eiweiß und Fett sowie 0,4 Milligramm Salz ausgetauscht.

1026.   Schokolade enthält dreimal so viel Eisen wie Spinat.

1027.   Die weibliche Brust hüpft beim Joggen durchschnittlich neun Zentimeter pro Schritt.

1028.   IN DORTMUND WIRD MEHR BIER GEBRAUT ALS IN MÜNCHEN.

1029.   Der untere Teil der Nase, der die beiden Nasenlöcher voneinander trennt, heißt Kolumella.

1030.   Die größte Tiefe, in der je ein Fisch gefangen wurde, war 8370 Meter, der Fisch ein Aal.

1031.   Clint Eastwood hat eine Pferdeallergie.

1032.   Die meisten Arbeitsunfälle passieren montags.

1033.   Das schwerste Motorad der Welt wiegt 4,7 Tonnen und verfügt über einen 800-PS-Motor, der ursprünglich zu einem Panzer gehörte.

1034. Bei der Titelmusik des »Tatort« spielt Udo Lindenberg Schlagzeug.

1035. An ihren fruchtbaren Tagen verdienen Stripteasetänzerinnen besser.

1036. Der Toyota Corolla ist das meistverkaufte Auto aller Zeiten.

1037. Die Ranch von George W. Bush hat eine bessere Ökobilanz als das Anwesen von Al Gore.

1038. In Neuseeland gibt es Kühe, die aufgrund einer natürlich zustande gekommenen Genmutation fettarme Milch geben.

1039. Man wird betrunken, wenn man in alkoholischen Getränken badet.

1040. DER OFT ZITIERTE SATZ »SPIEL'S NOCH EINMAL, SAM« KOMMT AN KEINER STELLE IN »CASABLANCA« VOR.

1041. Die Säure in unserem Magen ist so stark, dass sie einen Nagel auflösen kann.

1042. Die nickende Distel ist die Blume des Jahres 2008.

1043. »Wowereit« heißt auf Litauisch Eichhörnchen.

1044. JEDE VIERTE HEXE, DIE IM MITTELALTER VERBRANNT WURDE, WAR EIN MANN.

1045. Blut braucht nur eine Minute, um durch den gesamten menschlichen Körper zu strömen.

1046. Beate Uhse war Trägerin des Bundesverdienstkreuzes.

1047. In der 41-jährigen Geschichte der DDR gab es keinen einzigen erfolgreichen Banküberfall.

1048. Stiere sind so gut wie farbenblind und reagieren auf rote Tücher nicht anders als auf grüne oder blaue.

1049. Die Handyrechnung von Britney Spears beträgt 2500 Dollar im Monat.

1050. »Ilsebill salzte nach«, der erste Satz in Günter Grass' »Der Butt«, ist von der Stiftung Lesen und der Initiative Deutsche Sprache zum schönsten Romananfang der deutschen Literatur gewählt worden.

1051. Die Fettschicht von Walen und Robben heißt Blubber.

1052. In Deutschland werden in jeder Minute 342 Kondome verbraucht.

1053. Der Präsident des Zentralverbandes des Deutschen Bäckerhandwerks heißt Peter Becker.

1054. Ein Organspender rettet mit nur einer Spende durchschnittlich drei Leben, weil oft mehrere Organe entnommen werden.

1055. Eine einzige Ejakulation des Mannes enthält 300 Millionen Spermien – theoretisch genug, um sämtliche in Europa lebende Frauen zu befruchten.

1056. Die Vorwahl der Antarktis ist +6721.

1057. Die Söhne von Roland Koch heißen Dirk und Peter.

1058. Michael Schumacher hat in seiner Karriere 273 Liter Champagner auf dem Siegerpodest verspritzt.

1059. Liebeskummer ist der häufigste Grund für Selbstmord bei Jugendlichen und jungen Erwachsenen.

1060. Der Zwillingsbruder der Freundin von Lukas Podolski heißt Lukas Puchalski.

1061. Einen kastrierten Esel nennt man Macker oder Knilch.

1062. Der Sohn von David Bowie ließ seinen Vornamen 1983 von Zowie in Joey ändern.

1063. Ein Deutscher ab fünfzehn raucht im Schnitt sechs Zigaretten pro Tag.

1064. Laut Guinness-Buch der Rekorde fiel die größte Schneeflocke der Welt 1887 vom Himmel. Ihr Durchmesser soll 38 Zentimeter betragen haben.

1065. Der weltweit größte Vorrat an Gold, insgesamt 7100 Tonnen, lagert im Keller der Federal Reserve Bank of New York in Manhattan.

1066. SAFRAN IST DAS TEUERSTE GEWÜRZ DER WELT.

1067. Das Feuerzeug wurde vor dem Streichholz erfunden.

1068. Auch in der Gebärdensprache gibt es regionale Dialekte.

1069. Die Hullberry Insurance Company in Amsterdam versichert gegen die Entführung durch Außerirdische.

1070. In Frankreich ist es verboten, ein Schwein Napoleon zu nennen.

1071. Folgende Musiker erwähnen Marlon Brando in einem Song: Mando Diao, Madonna, Robbie Williams, Neil Young, The Killers, Mark Knopfler und Leonard Cohen.

1072. DIE JÜNGSTE MUTTER ALLER ZEITEN BRACHTE IM ALTER VON FÜNF JAHREN IN PERU EINEN SOHN ZUR WELT.

1073. Der Buchstabe Q kommt in deutschen Texten nur mit einer Wahrscheinlichkeit von 0,02 Prozent vor.

1074. Bud Spencer hält ein Patent auf einen Spazierstock mit eingebauter Sitzgelegenheit.

1075. Die größte Kaninchenrasse der Welt ist der »Deutsche Riese«, der bis zu 11,5 Kilo wiegen kann.

1076. Dolly Buster arbeitete vor ihrer Pornokarriere als Übersetzerin für den Bundesgrenzschutz.

1077. Der Ausdruck 08/15 geht auf ein Maschinengewehr zurück, das von der deutschen Armee im Ersten Weltkrieg verwendet wurde.

1078. Das Verhältnis Crew-Passagiere an Bord der Titanic betrug 885 zu 1343.

1079. US-Pharmakonzerne geben doppelt so viel Geld für Werbung wie für Forschung aus.

1080. In Bayern sind Verdächtige bei Polizeiverhören vom Rauchverbot in öffentlichen Gebäuden ausgenommen.

1081. Der September ist langfristig betrachtet der schlechteste Börsenmonat in Deutschland.

1082. Kängurus furzen methanfrei.

1083. Die fünf auflagenstärksten Zeitungen der Welt erscheinen in Japan.

1084. 39 Prozent der Aufträge an Privatdetektive wurden 2006 von Arbeitgebern vergeben, die das Verhalten ihrer Mitarbeiter überprüfen ließen.

1085. DIE BIENE MAJA WURDE 1912 VON WALDEMAR BONSELS ERFUNDEN.

1086. Der Satz »Man kann nicht mit allen Frauen der Welt schlafen, aber man muss danach streben« stammt von Marcel Reich-Ranicki.

1087. An Wahltagen darf in Norwegen kein Alkohol verkauft werden.

1088. Die Angst, Falten zu bekommen, heißt Rhytidophobie.

1089. Der Begriff Luder stammt ursprünglich aus der Jägersprache und bezeichnet einen Tierkadaver, der als Köder verwendet wird.

1090. Das Letzte, was Gustav Mahler vor seinem Tod sagte, war »Mozart!«.

1091. Der nicht sichtbare Teil des Eisbergs heißt Eisbergkiel.

1092. Die weltweit erste Telefonanlage, die zehn Telefone miteinander verband, wurde 1886 im Vatikan installiert.

1093. Die Hauptschlagader eines Blauwals hat einen so großen Durchmesser, dass ein Mensch darin schwimmen könnte.

1094. Unter dem Titel »Dreck am Stecken« machte die Zeitschrift Ökotest im November 2006 auf den Schadstoffgehalt vieler Vibratoren aufmerksam.

1095. In Deutschland, in der Nähe der Stadt Dülmen im Münsterland, gibt es 300 wild lebende Pferde.

1096. Howard Carpendale war an der Komposition der Pumuckl-Titelmusik beteiligt.

1097. Für ein Kilo Honig müssen Bienen zwischen drei und fünf Millionen Blüten anfliegen.

1098. WER AUF SANSIBAR PLASTIKTÜTEN EINFÜHRT, ZAHLT BIS ZU 1560 EURO STRAFE.

1099. Tausendfüßler haben maximal 680 Füße.

1100.   Bei der Geburt haben Kängurus nur die Größe einer Kaffeebohne.

1101.   Je nach Haarfarbe variiert die Menge an Haaren: Blonde haben durchschnittlich 140 000 Haare, Brünette 100 000 und Rothaarige 80 000.

1102.   Die Wahrscheinlichkeit für einen Royal Flush beim Poker beträgt 649 739:1.

1103.   Normale Regentropfen fallen mit einer Geschwindigkeit von vier bis fünf Metern pro Sekunde.

1104.   Unter einer Körpertemperatur von 27 Grad ist der Mensch nicht überlebensfähig.

1105. MUTTERMILCH KANN DURCH SPORTTREIBEN SAUER WERDEN.

1106.   Der Pornofilm »Frankenpenis« handelt von einem Wesen, das wie Frankenstein aus verschiedenen Körperteilen erschaffen wurde.

1107.   Der Notruf »Mayday« stammt vom französischen M'aidez (Helft mir).

1108.   Die Zunge ist der einzige Muskel des Körpers, der nur an einem Ende befestigt ist.

1109.   Die Wörter mit den meisten Konsonanten in Folge, nämlich acht, sind Angstschweiß, Rechtsschrift und Geschichtsschreibung.

1110. Der Weltrekord für das Lösen eines Rubik-Würfels liegt bei 9,55 Sekunden.

1111. Im Spanischen ist das Wort für Ehefrauen dasselbe wie für Handschellen: las esposas.

1112. Zehn Prozent der männlichen Meerschweinchen gelten als schwul.

1113. Der 1927 verstorbene Norweger Hans N. Langseth trug mit 5,33 Metern den längsten je gemessenen Bart.

1114. Der längste jemals entfernte Blinddarm war 17,5 cm lang.

1115. 50 Prozent aller Notfallpatienten in Deutschland sind alkoholisiert.

1116. OSKAR LAFONTAINES ZWILLINGSBRUDER HEISST HANS.

1117. Melonen enthalten sämtliche Vitamine, Mineralstoffe und Spurenelemente, die es gibt.

1118. Ralph Lauren hieß ursprünglich Ralph Lifshitz.

1119. Malta ist das wasserärmste Land der Erde.

1120. Im bayerischen Ludwigsstadt gibt es eine christliche Breakdancegruppe, die sich »The Lights« nennt.

1121. Alle vier Minuten wandert ein Bundesbürger aus Deutschland aus.

1122.   Cola light ist tatsächlich leichter als normales Cola.

1123.   Brad Pitt ist ein Cousin neunten Grades von Barack Obama. Angelina Jolie ist eine Verwandte neunten Grades von Hillary Clinton.

1124. # EIN GEFÄNGNISAUSBRUCH IST KEINE STRAFTAT.

1125.   Das Wort Gymnasium leitet sich vom griechischen Gymnasion ab, was wörtlich soviel heißt wie: »Der Ort, wo man nackt ist«.

1126.   »Ich liebe dich« schreibt man in der Morsesprache folgendermaßen: .. / ... ... / . ...

1127.   Die Gegend um die südafrikanische Stadt Ficksburg ist das größte Spargelanbaugebiet des Landes.

1128.   In Guantanamo gibt es McDonald's, Starbucks und Subway.

1129.   Die dicksten Männer Deutschlands leben in Schleswig-Holstein, die dicksten Frauen im Saarland.

1130.   Mark Zuckerberg, 23, Erfinder des Internetportals Facebook, ist der jüngste Selfmademilliardär aller Zeiten.

1131.   Winnetou, Pumuckl und Pepsi Carola sind in Deutschland als Vornamen anerkannt.

1132.   Weibliche Wikinger waren die ersten Frauen, die BHs getragen haben.

1133. Kung-Fu heißt wörtlich »Fähigkeit, die durch hartes Üben erlangt wurde«.

1134. Bier war bis 1989 in Island verboten.

1135. Hillary Clintons Wahlkampf um die Präsidentschafts-Kandidatur kostete pro Tag rund 1,1 Millionen Dollar.

1136. Um einen Zentimeter voranzukommen, muss ein Spermium 800-mal mit dem Schwanz wedeln.

1137. Stalin war Georgier.

1138. Zehn Pollen pro Kubikmeter Luft genügen, um einen allergischen Anfall auszulösen.

1139. Kleine Männer sind eifersüchtiger.

1140. Der Baikalsee enthält ein Fünftel des gesamten Süßwassers der Erde.

1141. Heidi Klum und Karl Lagerfeld haben sich noch nie kennen gelernt.

1142. Delfine schwimmen höchstens 54 Kilometer pro Stunde. Eine höhere Geschwindigkeit tut ihnen weh.

1143. Vor den olympischen Spielen 1976 wurde das olympische Feuer von Athen nach Ottawa, Kanada, per Satellit übermittelt.

1144. Männer neigen dazu, eher schönere Frauen anzuflirten, wohingegen Frauen sich vorwiegend ähnlich attraktive Partner suchen.

1145. An der Börse ist Toyota mehr wert als Porsche, VW, BMW und Daimler zusammen.

1146. Wolfsburg hieß bis 1945 »Stadt des KdF-Wagens bei Fallersleben«.

1147. Damit der Blick eines gemalten Gesichts den Betrachter verfolgt, muss ein Auge auf der Linie liegen, die das Bild senkrecht halbiert.

1148. Die Angst vor der Hölle nennt man Stygiophobie.

1149. Die erste Hubschrauberlandung auf einem Hausdach fand 1962 in Bühl statt.

1150. Die meisten Bewegungsmelder reagieren nicht auf Bewegung, sondern auf Wärme.

1151. SÜSSWASSERFISCHE TRINKEN NICHT, SALZWASSER-FISCHE SCHON.

1152. Sean Connery spielte den Vater von Indiana Jones, obwohl er nur zwölf Jahre älter ist als Harrison Ford.

1153. In nahezu allen Kulturen essen Männer mehr Fleisch als Frauen.

1154. Die Hälfte aller Amerikaner lebt im Umkreis von drei Autominuten zu einer McDonald's-Filiale.

1155. Autos mit Fähnchen ins Fenster geklemmt verbrauchen etwa einen halben Liter mehr Sprit auf 100 Kilometer.

1156. **DIE AUTOTÜRE EINES MAZDA 3 LÄSST SICH ÖFFNEN, INDEM MAN MIT EINEM ANGEBOHRTEN TENNISBALL LUFT INS SCHLOSS BLÄST.**

1157. Zwergschimpansen der Art Bonobos sind die einzigen Primaten neben dem Menschen, bei denen Zungenküsse beobachtet werden.

1158. Den Rekord im Wachbleiben hält der Brite Tony Wright mit 266 Stunden ohne Schlaf.

1159. Eine Geschäftsreise für ein deutsches Unternehmen dauert im Schnitt 2,2 Tage.

1160. Der trockene Busch, der in Westernfilmen durch das Bild rollt, heißt Steppenläufer und verbreitet auf diese Art seinen Samen.

1161. Im Wahllokal ist es verboten zu sagen, wen man wählt.

1162. Keime sterben auf Holz schneller ab als auf Oberflächen aus Plastik.

1163. Lauch ist ein Nationalsymbol von Wales.

1164. Elf Milliarden Aufzugfahrten finden jährlich in New York statt.

1165. Der durchschnittliche Deutsche hat sechs Sexpartner in seinem Leben.

1166. Der Mount Waialeale auf Hawaii ist der regenreichste Ort der Welt.

1167. Zwischen 2002 und 2007 ist die Zahl der Coffeeshops in Deutschland um 325 Prozent gewachsen.

1168. Das englische Wort für Graupel ist graupel.

1169.   Die Straßenverkehrsordnung verbietet »unnützes Hin-und-Herfahren« innerhalb geschlossener Ortschaften.

1170.   Während eines Drogenexzesses hat Ozzy Osbourne einmal all seine Katzen erschossen. Es waren siebzehn.

1171.   Bis in die sechziger Jahre gab es auch in Europa Malariagebiete.

1172.   DIE SPHINX IST MÄNNLICH.

1173.   Frauen gehen am häufigsten an ihren fruchtbaren Tagen fremd.

1174.   Ohrenschmalz ist das einzige Sekret des Menschen, das bitter schmeckt – eine Schutzfunktion des Körpers vor Insekten.

1175.   In Neuseeland wurde Anfang 2008 ein Song zum Nummer-eins-Hit, der in einer nur für Hunde hörbaren Frequenz aufgenommen wurde. Der Titel: »A Very Silent Night«.

1176.   Das Lieblingsgericht des SPD-Vorsitzenden Kurt Beck ist »Schnüffel« – in einer Suppe schwimmende Schweinenasen.

1177.   »Free-Tibet«-Fahnen werden in einer günstigen Weberei in China produziert.

1178.   Die Fackel, die 1956 vor den Olympischen Spielen durch Sydney getragen und dem Bürgermeister überreicht wurde, war in Wirklichkeit ein silbern angemaltes Stuhlbein, an dessen Spitze eine kerosingetränkte Unterhose brannte. Sie gehörte einem Studenten, der sich als Olympionike verkleidet hatte und von der Polizei für den echten Fackelläufer gehalten wurde.

1179. DIETER BOHLEN WAR MITGLIED IN DER DEUTSCHEN KOMMUNISTISCHEN PARTEI.

1180. Die autorisierte Biografie des Papstes für Kinder wird aus der Sicht seiner Lieblingskatze, des siamesischen Katers Chico, erzählt.

1181. Eine neue thailändische Verordnung regelt, dass die Polizisten des Landes einen Tag lang in der Öffentlichkeit ein rosa »Hello Kitty«-Armband tragen müssen, wenn sie zu spät zum Dienst erscheinen oder falsch parken.

1182. Der Samenkäfer besitzt einen mit Dornen besetzten Penis.

1183. Der Chef der Deutschen Bahn, Hartmut Mehdorn, schmiedet in seiner Freizeit und zur Entspannung Kerzenleuchter aus Metall.

1184. Der Höchstwert einer einzelnen Briefmarke am Automaten beträgt 36,75 Euro.

1185. Kaffeepause heißt auf Finnisch »Kahvipaussi«.

1186. Den Begriff der Schickeria erfand der Schriftsteller Gregor von Rezzori. Er betonte gerne, dass sich das Wort nicht nur auf »schick«, sondern auch auf »schickern« (jiddisch für saufen) beziehe.

1187. Die Innenstadt von Khartoum im Sudan ist im Grundriss der britischen Flagge, dem sogenannten Union Jack, nachempfunden.

1188. Den Weltrekord im Betonblockzerschlagen hält der Engländer Ed Byrne. Er zerschlug 55 Betonblöcke in 4,86 Sekunden.

1189. Wenn in einer Weinhandlung klassische Musik läuft, erhöht sich der Umsatz im Vergleich zu Pop-Musik um das 2,5-Fache.

1190. Das CC bei E-Mails steht für »Carbon Copy«, Kohledurchschlag.

1191. Das erste MP3 der Welt war Suzanne Vegas Lied »Tom's Diner«.

1192. Die leichteste Gewichtsklasse beim Boxen ist das Minifliegengewicht bis 47,627 Kilogramm.

1193. Die ehemalige Mülldeponie Hannovers ist heute der höchste Berg im Stadtgebiet.

1194. IN ÖSTERREICH IST ES VERBOTEN, MEERSCHWEINCHEN ODER RATTEN EINZELN ZU HALTEN.

1195. Michael Jackson will einen fünfzehn Meter großen Roboterklon von sich in der Wüste Nevadas errichten lassen, der Laserstrahlen abschießt.

1196. Der Sirtaki ist kein uralter griechischer Volkstanz, sondern wurde für die Dreharbeiten des Films »Alexis Sorbas« entwickelt.

1197.   Halluzinogene Pilze als Drogen wurden 1957 von einem damaligen Vorstandsmitglied der Investmentbank JP Morgan populär gemacht.

1198.   Die Tochter des Oscar-Preisträgers Sydney Poitier heißt Sydney Poitier.

1199.   Mit Formicophilie bezeichnet man das sexuelle Verlangen danach, kleine Insekten über die Genitalien kriechen zu lassen.

1200.   Das erste Hot-Dog-Wettessen fand 1916 in New York statt. Der Sieger schaffte 13 Würstchen. Der aktuelle Weltrekord liegt bei 66 Hot-Dogs.

1201.   In Japan ist es üblich, dass sich Chefs in Sitzungen schlafend stellen, um ihren Angestellten die Chance zu geben, offener zu sprechen.

1202. EIN BLAUWAL KANN NICHTS SCHLUCKEN, WAS GRÖSSER IST ALS EINE GRAPEFRUIT.

1203.   König Adolf Friedrich von Schweden starb, nachdem er ein reichhaltiges Mahl mit dem Verzehr von vierzehn mit Mandelmasse und Sahne gefüllten Krapfen in heißer Milch gekrönt hatte.

1204.   In einer von YouTube mitveranstalteten Fernsehdebatte im US-amerikanischen Bundesstaat South Carolina mussten sich Barack Obama und Hillary Clinton unter anderem den kritischen Fragen von Zuschauern in Wikinger-, Schneemann- und Huhnkostümen stellen.

1205. Louis de Funès musste 1930 eine Ausbildung zum Kürschner aufgeben, weil er einen Kanarienvogel getötet hatte.

1206. Die Fotografenlehre von Louis de Funès scheiterte 1933 an einem Streich mit Knallfröschen.

1207. Peter Handke bestickt in seiner Freizeit gerne T-Shirts.

1208. Wer in Vietnam einen Hamster verkauft oder besitzt, muss 1900 Dollar Strafe zahlen. Das ist fast doppelt so viel, wie der Durchschnittsbürger im Jahr verdient.

1209. Wer auf Kuba eine Kuh schlachtet, muss für acht Jahre ins Gefängnis.

1210. Die erste Ausgabe der Süddeutschen Zeitung wurde mit eingeschmolzenen Druckplatten von Hitlers »Mein Kampf« gedruckt.

1211. Der Strauß legt in Relation zu seiner Körpergröße von allen Vögeln das kleinste Ei.

1212. Schlanke Nichtraucher kosten das Gesundheitssystem mehr als dicke Raucher.

1213. In diesem Jahr nahm der Vatikan auch den Drogenmissbrauch und Umweltverschmutzung in seinen Katalog der Sünden auf.

1214. Barkeeper heißt auf Latein »tabernae potóriae minister«, Wodka heißt »valida potio slavica« und Smog »fumus et nebula«.

1215. 58 Prozent aller Männer haben schon mal versucht, ihren Namen in den Schnee zu pinkeln.

1216. In San Francisco gibt es eine öffentliche Treppe zu Ehren von Falco.

1217. Spezi war ursprünglich der Name für ein Bier. Erst später wurde es zur Limo.

1218. Der Schriftsteller Guy de Maupassant ließ sich in einem Bordell von einem Notar bezeugen, dass es dem Autor gelungen sei, in einer Stunde »sechsmal der Venus zu opfern«.

1219. Iggy Pop wuchs in Ypsilanti, Michigan, auf.

1220. Der Weltrekord im 100-Meter-Lauf der über Hundertjährigen liegt bei 30,86 Sekunden. Der Südafrikaner Philip Rabinowitz stellte ihn im Alter von 100 Jahren auf.

1221. DER NAGEL DES KLEINEN FINGERS WÄCHST AM LANGSAMSTEN, DER NAGEL DES MITTELFINGERS AM SCHNELLSTEN.

1222. Während der deutschen Besatzung im Zweiten Weltkrieg trugen die Norweger als Zeichen der Solidarität mit ihrem König Büroklammern am Revers.

1223. Giraffe und Mensch haben gleich viele Halswirbel.

1224. Jeder Mensch hat fünfzehn- bis zwanzigmal am Tag Blähungen.

1225. Der Schriftsteller Tennessee Williams starb, weil er am Deckel seiner Augentropfenflasche erstickte.

1226. Im Französischen heißt Zuckerwatte »barbe à papa« – Bart des Vaters.

1227. Hummer urinieren sich während eines Kampfes gegenseitig ins Gesicht, um ihren Kontrahenten zu beeindrucken.

1228. Ältere Frauen, die ein Parfüm benützen, in das der Schweiß junger Frauen gemischt ist, haben deutlich häufiger Sex als unparfümierte.

1229. Papst Benedikt XVI. schenkte seinem Bruder Georg an Weihnachten 2007 einen elektrischen Fußwärmer.

1230. Der Sport, bei dem ein Mann Fische mit der bloßen Hand fängt, heißt Noodling.

1231. DER DURCHSCHNITTLICHE ANGESTELLTE LÄSTERT VIER STUNDEN PRO WOCHE ÜBER SEINE VORGESETZTEN.

1232. In der Gebärmutter einer Häsin können Embryonen unterschiedlichen Alters heranwachsen.

1233. Mao putzte sich seine Zähne nicht, sondern spülte sie nur mit grünem Tee – sodass sie im Alter grün wurden.

1234. Der Mensch schläft heute im Durchschnitt eine Stunde weniger als noch vor zwanzig Jahren.

1235. PEZ-Bonbons wurden in ihren Anfangsjahren als Zigarettenersatz für Erwachsene beworben.

1236. **DIE PERFEKTE FRISUR ZUM ÜBERDECKEN EINER HALBGLATZE HEISST »COMB OVER« ODER »MEATHAT-HIDING« UND WURDE VON FRANK J. SMITH UNTER DER NUMMER 4,022,227 IN DEN USA ZUM PATENT ANGEMELDET.**

1237. Der schweizerisch-portugiesische Fußballprofi Paolo Diogo blieb im Dezember 2004 beim Torjubel mit seinem Ehering an einem Absperrgitter hängen und riss sich zwei Glieder eines Fingers ab.

1238. Eines der hässlichsten Tiere der Welt, der afrikanische Nacktmull, kennt keine Schmerzen. Forscher bespritzten seine Haut mit Säure und anderen schmerzauslösenden Substanzen – der Mull reagierte jedoch in keiner Form auf die verschiedenen Reize.

1239. Ivan Rebroffs Bruder schoss im Zweiten Weltkrieg das Flugzeug von Antoine de Saint-Exupéry ab. Saint-Exupéry wurde später sein Lieblingsschriftsteller.

1240. FÜR ALLE, DIE ES ÖKOLOGISCH LIEBEN: KONDOME AUS SCHAFSDARM SIND NACH WIE VOR ERHÄLTLICH.

1241. 1919 tötete die Explosion eines Zuckersiruptanks 21 Menschen und verklebte weite Teile der Innenstadt von Boston mit einer hüfttiefen Masse.

1242. In der Bibel steht in Samuel I, 18:27 tatsächlich: »Er erschlug zweihundert von den Philistern, brachte ihre Vorhäute zum König und legte sie vollzählig vor ihn hin, um sein Schwiegersohn zu werden. Und Saul gab ihm seine Tochter Michal zur Frau.«

1243. Das Elfmeterschießen wurde 1970 von dem Frankfurter Friseur Karl Wald erfunden.

1244. In Riviera Beach Florida ist Baggy-Pants-Tragen ein Verbrechen. 150 Dollar zahlt der Ersttäter, Wiederholungstätern drohen bis zu sechzig Tage Haft.

1245. BLASMUSIK HEISST IN AUSTRALIEN »OOM PAH PAH«.

1246. Im 19. Jahrhundert hielt US-Präsident John Quincy Adams einen Alligator als Haustier im Weißen Haus.

1247. Helmut Kohl brachte als rheinland-pfälzischer Ministerpräsident seinen Kultusminister Bernhard Vogel mit den Worten »Mach de Aff!« dazu, auf dem Tisch zu tanzen.

1248. König Alexander I. von Griechenland starb 1920 an einer Blutvergiftung, nachdem er von seinem Lieblingsaffen in die Hand gebissen worden war.

1249. In Plauen wurden sowohl der erste Squaredance-Club der DDR und die erste ostdeutsche McDonald's-Filiale gegründet.

1250. Seit 2007 gibt es in China auch Wiedergeburtenkontrolle: Die KP entscheidet, wer als authentisch wiedergeborener Buddha zu gelten hat und wer nicht.

1251. Lange vor Thomas Gottschalk hatte Haribo ein anderes prominentes Testimonial: Kaiser Wilhelm II. lobte den Goldbären als »Glanzstück der Weimarer Republik«.

1252. In der achten Schwangerschaftswoche entwickelt ein Fötus seine Fingerabdrücke.

1253. Die erste Website der Welt war info.cern.ch.

1254. Der teuerste Cornflake aller Zeiten kommt aus den USA. Er hat die Form des Staates Illinois und wurde bei ebay.com für über 200 000 Dollar versteigert.

1255. 1947 wurden in Deutschland die Uhren für eine »Hochsommerzeit« von Mai bis Juni um zwei Stunden vorgestellt.

1256. Der Winzer und Wein-Tester Ilja Gort hat für fünf Millionen Euro seine Nase bei Lloyd's versichern lassen. Bedingungen der Versicherung: Der Holländer darf weder Motorrad fahren noch boxen noch als Feuerschlucker oder Assistent eines Messerwerfers arbeiten.

1257. Der israelische Politiker Shlomo Benizri glaubt, den idealen Schutz vor Erdbeben zu kennen. Er forderte die israelische Regierung auf, den liberalen Umgang mit Schwulen und Lesben zu beenden, dann würde sich auch die Erde beruhigen.

1258. Ein Lachanfall von Schülerinnen im damaligen Tanganjika war 1962 so ansteckend, dass mehrere Schulen für sechs Monate geschlossen werden mussten.

1259. UDO LINDENBERGS HÜTE WERDEN IM BAYERISCHEN LINDENBERG HERGESTELLT.

1260. Die einzigen Überlebenden beim Absturz der Raumfähre Columbia waren tausende Fadenwürmer, an denen die Auswirkung der Schwerelosigkeit erforscht werden sollte.

1261. Ein Gemälde von Henri Matisse wurde 1961 im Museum of Modern Art 47 Tage lang ausgestellt, bevor jemandem auffiel, dass es verkehrt herum hing.

1262. Im Durchschnitt isst jeder Chinese nur 100 Gramm Schokolade im Jahr.

1263. Der Gipfel des Chimborazo in Ecuador ist der Punkt auf der Erdoberfläche, der am weitesten vom Erdkern entfernt ist.

1264. Männer werfen bei der offiziellen Weltmeisterschaft im Gummistiefelweitwurf mit Stiefeln der Größe 43, Frauen mit Größe 38.

1265. John Adams und Thomas Jefferson, der zweite und der dritte Präsident der USA, starben beide am 4. Juli 1826, dem 50. Jahrestag der von ihnen mitverfassten Unabhängigkeitserklärung.

1266. Ein kanadischer Anwalt stürzte 1993 aus dem 24. Stock des Toronto-Dominion Centre zu Tode, als er demonstrieren wollte, dass die Fensterscheiben unzerbrechlich sind.

1267. Der Berater des Fußballspielers Ailton versuchte heimlich dessen Torjägerkanone bei ebay.de zu versteigern, weil der brasilianische Stürmer ihm angeblich Geld schuldete.

1268. HÜHNERKÜKEN HABEN EINEN BAUCHNABEL.

1269. Jeder Mensch besteht aus etwa einer Milliarde Atome, die schon Teil von Shakespeare, Buddha, Dschingis Khan und jeder anderen historischen Persönlichkeit waren.

1270. Wenn wir auf einem Stuhl zu sitzen meinen, schweben wir in Wahrheit einen hundertmillionstel Zentimeter darüber, weil unsere Elektronen und die des Stuhls sich abstoßen.

1271. In der Sowjetunion folgte auf ein kahlköpfiges Staatsoberhaupt stets eines mit starkem Haarwuchs: Lenin-Stalin, Chruschtschow-Breschnew, Andropow-Tschernenko, und auf Gorbatschow folgte Jelzin.

1272. Konrad Adenauer tat Gerüchte über homosexuelle Neigungen seines Außenministers Heinrich von Brentano gelassen mit den Worten ab: »Was wollen Sie denn, meine Damen und Herren, bei mir hat er es noch nicht versucht.«

1273. Während des Baus von Eisenbahnen im Ägypten des 19. Jahrhunderts wurden so viele Mumien ausgegraben, dass sie zum Befeuern der Lokomotiven benutzt wurden.

1274. In Las Vegas dürfen Reunion-Bands nur dann unter Originalnamen auftreten, wenn mindestens ein Mitglied der Originalformation mitspielt.

1275. Der Physiker Niels Bohr verschob seine Flitterwochen, um seinen nobelpreisgekrönten Aufsatz über den Quantensprung zu schreiben.

1276. DIE OLYMPISCHE GOLDMEDAILLE IST GAR NICHT AUS GOLD, SONDERN NUR AUS SILBER MIT GOLDÜBERZUG.

1277. Um sein Revier zu markieren, macht ein Pandabär einen Handstand und uriniert so hoch er kann auf einen Baum.

1278. Carla Bruni-Sarkozys italienischer Mädchenname, Bruni Tedeschi, bedeutet übersetzt: »braune Deutsche«.

1279. Im Mittelalter wurden Gerichtsverhandlungen über Mord, Notzucht, Raub und Diebstahl mit dem Ausruf »Zetermordio!« eröffnet.

1280. An der neuen Kreuzung Rudi-Dutschke-Straße/Axel-Springer-Straße in Berlin-Kreuzberg hat die Rudi-Dutschke-Straße Vorfahrt.

1281. An der University of California in Santa Cruz gibt es seit kurzem ein Grateful-Dead-Forschungszentrum.

1282. Yahoo steht für »Yet Another Hierarchial Officious Oracle«, »noch so ein hierarchisches diensteifriges Orakel«.

1283. Der typische Magenta-Farbton der Telekom gehört markenrechtlich der Firma. Ebenso gehört UPS das typische Braun und Tiffany besitzt ein Hellblau.

1284. Seit 1990 starben in den USA mehr Menschen daran, dass sie in Sandlöcher fielen, als durch Haiangriffe.

1285. LIBYEN IST DAS EINZIGE LAND DER WELT MIT EINFARBIGER FLAGGE.

1286. Beim Dreh von »The Wizard of Oz« 1938 war die 16-jährige Judy Garland auf Speed.

1287. Vor drei Jahren verschwanden dreißig Kilogramm Plutonium aus der englischen Wiederaufbereitungsanlage Sellafield, genug für sieben oder acht Atombomben. Die Betreibergesellschaft begründete den Verlust in einem öffentlichen Statement mit »Buchhaltungsproblemen«.

1288. **MEISTGELIEHENE LEKTÜRE IM GEFANGENENLAGER GUANTANAMO SIND DIE HARRY-POTTER-BÜCHER.**

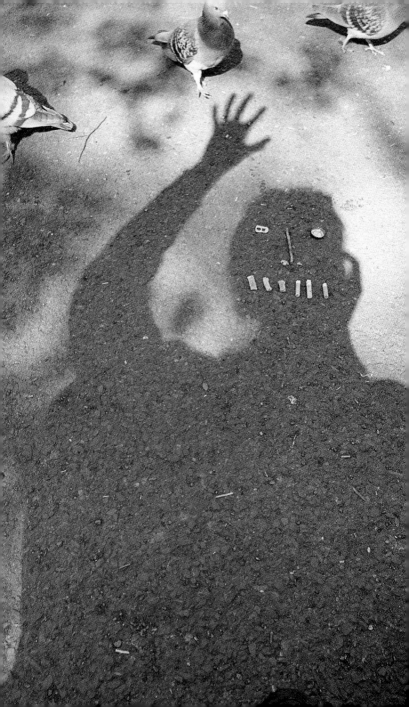

1289.   Der stärkste Organismus der Welt ist das Tripper-Bakterium; es kann die bis zu 100 000-fache Kraft seines eigenen Gewichts entfachen.

1290.   In L.A. gibt es einen Marihuana-Ausgabeapparat, an dem sich Schmerzpatienten bedienen dürfen.

1291.   Die älteste Hinterlassenschaft der Menschen auf dem amerikanischen Kontinent ist ein 14 300 Jahre alter Haufen Kot.

1292.   Der blinde Olm, ein Salamander mit durchsichtiger Haut, kann zehn Jahre ohne Futter überleben.

1293.   Die US-Armee sucht über Anzeigen berühmte »Southern Rock, Pop Rock, Post Grunge and Hard Rock«-Bands, die auf Militärbasen in Afghanistan auftreten.

1294.   GESUNDHEITSAPOSTEL JAMES FIXX, SCHÖPFER DES WORTES »JOGGING«, STARB WÄHREND DES JOGGENS.

1295.   Drunkorexia heißt eine besondere Art der Magersucht, bei der die Betroffenen besonders dann nichts essen, wenn sie vorhaben, sich zu betrinken.

1296.   Der finnische Parlamentsabgeordnete Tommy Tabermann will seine verheirateten Landsleute jährlich zu einem einwöchigen »Liebesurlaub« verdonnern, damit deren Sexualleben intakt bleibt.

1297.   Fressen Starenmännchen vergiftete Würmer, verwan-

deln sie sich in fantastische Sänger, die viel mehr Weibchen ab-
bekommen als sonst.

1298. In Dibble, Oklahoma, ist es Ziegen innerhalb der Stadt-
grenzen verboten, sich zu paaren.

1299. In Japan gibt es die Erotik-DVD »Crush by Venus« – für
Männer, deren Fetisch es ist, dass Dominas mit hohen Stiefeln
Modelleisenbahnen zertreten.

1300. Ob sich der Name Eichhörnchen von den Eichen oder
vom althochdeutschen »aig« (sich schnell bewegen) ableitet, ist
umstritten.

1301. Ein Verkehrszeichen kostet inklusive Montage 350 Euro.

1302. Ein Drittel aller Briten weiß nicht genau, welchen Beruf
Shakespeare hatte.

1303. JIMI HENDRIX GAB VOR, SCHWUL ZU SEIN, UM AUS DEM MILITÄRDIENST ENTLASSEN ZU WERDEN.

1304. Alle in einem Jahr gegessenen Smarties aneinander-
gereiht ergeben eine Länge von 63 300 Meilen (rund 102 000
Kilometer), das entspricht mehr als der 2,5-fachen Länge des
Äquators.

1305. Der Porno Deep Throat ist der profitabelste Film aller
Zeiten. Er wurde für 25 000 Dollar produziert und spielte 600
Millionen ein.

1306. IM HAUS DES GEIZIGEN MULTI-MILLIARDÄRS J. PAUL GETTY GAB ES FÜR GÄSTE EIN MÜNZ-TELEFON.

1307. Mark Wahlberg hat drei Brustwarzen.

1308. Als 1911 die Mona Lisa aus dem Louvre verschwand, wurde Pablo Picasso verdächtigt, das Gemälde gestohlen zu haben.

1309. BILL CLINTON HAT WÄHREND SEINER AMTSZEIT NUR ZWEI E-MAILS SELBST GESCHRIEBEN.

1310. Hexakosioihexekontahexaphobiker werden Menschen genannt, die Angst vor der Zahl 666 haben.

1311. Der israelische Professor Benny Shanon glaubt, dass Moses stoned war, als er die Zehn Gebote am Berg Sinai empfing.

1312. Bei den italienischen Wahlen im April traten über 180 Parteien an, darunter »Dr. Cirillos Partei der impotenten Existenzialisten« und die »Rudere nicht gegen den Strom«-Partei.

1313. Zu lautes Stöhnen kann in England zu empfindlichen Strafen führen. Giran Jobe wurde zur Zahlung von siebzig Pfund verurteilt, weil er trotz mehrmaligen Ermahnens nicht aufhörte, beim Gewichtestemmen in seinem Haus mit über 100 Dezibel zu grunzen.

1314. 1989 erhielten die deutschen Fußballerinnen als Prämie für ihren ersten EM-Sieg je ein Kaffee-Service.

1315. Der 100-jährige Krieg dauerte 116 Jahre.

1316.   Der Zirkus Roncalli ist benannt nach Papst Johannes XXIII. Dessen bürgerlicher Name lautete Angelo Giuseppe Roncalli.

1317.   »Hey, Jude« von den Beatles war eigentlich als Trost für John Lennons fünfjährigen Sohn Julian gedacht. Weil »Hey, Jules« nicht so gut klang, änderte Paul McCartney den Titel in »Hey, Jude« um.

1318.   Winston Churchill wurde während einer Tanzveranstaltung auf der Damentoilette geboren.

1319.   Das einzige Bandmitglied bei ZZ Top, das keinen Bart trägt, heißt Frank Beard.

1320. KNAPP ZWEI TEELÖFFEL BOTOX REICHEN AUS, UM DIE GESAMTE WELTBEVÖLKERUNG ZU VERGIFTEN.

1321.   Zitronenlimonade enthält künstliche Aromen, Zitronenreiniger muss immer echte Zitrone enthalten.

1322.   Die innere Uhr des Menschen folgt einem 25-Stunden-Rhythmus.

1323.   Joseph Beuys spielte 1982 gemeinsam mit BAP als Protest gegen Ronald Reagans Aufrüstungspolitik die Single »Sonne statt Reagan« ein.

1324.   Andreas Baader besuchte dasselbe Gymnasium wie Franz Josef Strauß und Papst Benedikt XVI.

1325. Die britische Kanalinsel Sark ist der letzte undemokratische Fleck in Europa. Die rund 600 Bewohner leben in einem Feudalsystem, das Ende 2008 durch die ersten demokratischen Wahlen aber abgeschafft wird.

1326. In New York gibt es noch Wasserleitungen aus Bambus.

1327. SECONDHANDMÄRKTE HEISSEN IN GHANA ÜBERSETZT »DER WEISSE MANN IST TOT«.

1328. Der weltweit erste Schriftsteller, der seinem Verlag ein getipptes Buchmanuskript ablieferte, war 1876 Mark Twain mit »The Adventures of Tom Sawyer«.

1329. Das seltenste deutsche Autonummernschild ist das Kennzeichen von Büsingen: BÜS. In der baden-württembergischen Gemeinde, die eine deutsche Enklave in der Schweiz ist, sind nur 776 Autos zugelassen.

1330. »Metsotso e mashome a meraro ka mora hora ya leshome le motso e mong« heißt in der südafrikanischen Sprache Sesotho: halb elf.

1331. Keines der 48 Ferkel, die in dem 1995 gedrehten Film »Ein Schweinchen namens Babe« auftraten, durfte nach Drehschluss geschlachtet werden. Das wurde vertraglich zugesichert.

1332. Queen-Gitarrist Brian May gab 2007 nach 36 Jahren endlich seine Doktorarbeit ab – der Titel: »Radikale Geschwindigkeiten in Tierkreis-Staubwolken«.

1333. »Ohne« heißt auf Texasdeutsch »mitaus«.

334. Zur Bekämpfung von Übergewicht ist Walzertanzen in China Teil des nationalen Lehrplans.

335. Die Krankheit, die Touristen manchmal beim Anblick großer Kunst überfällt, heißt Stendhal-Syndrom. Sie macht sich bemerkbar durch Verwirrung, Schwindel, Herzrasen und Halluzinationen bis hin zu Paranoia.

336. Laut den Berechnungen eines walisischen Psychologen fällt der deprimierendste Tag des Jahres stets auf den Montag der letzten Januarwoche.

337. Das @-Zeichen in E-Mail-Adressen wird in Israel »Strudel« genannt.

338. Beuteltiermännchen haben einen Penis mit zwei Spitzen, Beuteltierweibchen eine Vagina mit zwei Öffnungen.

339. DIE AMERIKANISCHE UNABHÄNGIGKEITSERKLÄRUNG ENTHÄLT AN KEINER STELLE DAS WORT UNABHÄNGIGKEIT.

340. Der Staatsname Pakistan ist eine Erfindung muslimischer Cambridge-Studenten, die sich 1933 aus den Namen der Regionen Punjab, Afghania, Kaschmir, Iran, Sindh, Turkharistan, Afghanistan und Balochistan bedienten.

341. Der ehemalige kubanische Staatschef Fidel Castro schickte den Vietcong während des Vietnamkriegs mehrere lebende Ochsenfrösche zu, um so eine eventuelle Hungersnot zu verhindern.

1342. **VIAGRA HILFT AUCH, SCHNITT-BLUMEN LÄNGER FRISCH ZU HALTEN.**

1343. UDO LINDENBERG MALT MIT BUNTEN LIKÖREN KLEINE BILDER, DIE ER LIKÖRELLE NENNT.

1344.   Jeder zehnte Schweizer kann im Winter wegen kalter Füße schlechter einschlafen.

1345.   Außer in Deutschland gibt es nur auf der Isle of Man und zwei indischen Bundesstaaten kein Tempolimit auf Autobahnen.

1346.   Thomas Midgley (1889–1944) ist nicht nur Erfinder des umweltschädlichen FCKW, sondern hat auch noch das höchst giftige verbleite Benzin entwickelt.

1347.   Als Spätfolge des verbleiten Benzins hat heute jeder Mensch bis zu 625-mal mehr Blei im Blut als unsere Vorfahren noch vor hundert Jahren.

1348.   Im Banden-Slang der brasilianischen Favelas heißen Polizisten »Alemães«, also Deutsche, weil die Filmbösewichter oft Deutsche sind.

1349.   Die wilde Urtomate wuchs einst in den Anden, ihre Früchte waren nicht größer als Johannisbeeren.

1350.   Die Begriffe Wasserskisportclub, Frankreichtour und Hackentricktorschuss enthalten alle Vokale in alphabetischer Reihenfolge.

1351.   Bob Dylan trat 1997 gemeinsam mit Papst Johannes Paul II. auf, was der damalige Joseph Kardinal Ratzinger vergeblich zu verhindern suchte.

1352. Einwohner der indischen Stadt Solapur werfen ihre Babys von einem fünfzehn Meter hohen Turm und fangen sie mit einem Tuch auf – damit das Kind gesund bleibt.

1353. Ein Burschenschaftler, der nichts verträgt, muss sich seine »Bierimpotenz« offiziell bestätigen lassen.

1354. Der französische Stürmer Pascal Nouma wurde 2003 von Besiktas Istanbul entlassen, weil er ein Tor mit einem ausgiebigen Griff in den eigenen Schritt gefeiert hatte.

1355. Gullydeckel sind kreisrund, weil bei jeder anderen Form die Gefahr bestünde, dass sie unter Umständen in den Schacht fallen.

1356. Der Palast des rumänischen Diktators Ceausescu ist so groß, dass er heute – obwohl er beide Kammern des Parlaments und eine Galerie beherbergt – zu weiten Teilen leer steht.

1357. Edmund Stoiber war früher starker Raucher.

1358. George W. Bushs Lieblingsgemälde zeigt einen reitenden Cowboy.

1359. BEI DEN »SIMPSONS« IST GOTT DIE EINZIGE PERSON MIT FÜNF FINGERN AN DEN HÄNDEN.

1360. In Berlin regnet es täglich zehn Tonnen Taubenexkremente.

1361. Das Verbot, im Parlament zu sterben, wurde 2007 zum lächerlichsten Gesetz Großbritanniens gewählt.

1362. **WÄHREND KAT-ZEN IN DEUTSCHLAND SPRICHWÖRTLICH SIEBEN LEBEN HABEN, SIND ES IN ENGLAND NEUN.**

1363. Der Teddy wurde nach US-Präsident Theodore »Teddy« Roosevelt benannt, der sich zu Beginn des 20. Jahrhunderts weigerte, bei einem Jagdausflug einen verletzten Bären zu erschießen.

1364. Heidi Klum nennt ihre Brüste Hans und Franz.

1365. Pamela Anderson nennt ihre Brüste Ernie und Bert.

1366. In neun Stunden flog der Amerikaner Kent Couch an 105 Heliumballons 310 Kilometer weit. Um zu landen, ließ er so lange Ballons platzen, bis er tief genug war, um abzuspringen.

1367. PAUSCHALREISEN GIBT ES SEIT MITTE DES 19. JAHRHUNDERTS. ERFUNDEN WURDEN SIE VOM BRITEN THOMAS COOK.

1368. Um eine Mahlzeit zu verdauen, braucht ein Wombat vierzehn Tage.

1369. Amsterdam hat eine Zone für Sex unter freiem Himmel eingerichtet. Im Vondelpark darf man zu jeder Abend- und Nachtstunde Sex haben.

1370. Helmut Schmidt badet einmal in der Woche.

1371. Handys heißen in Schweden ficktelefon.

1372. John Travolta kann sich keine fünf Sätze merken. Deshalb stehen am Set immer mehrere Teleprompter, von denen er seinen Text abliest.

1373. Discoproduzent Giorgio Moroder ist der Neffe von Luis Trenker.

1374. Am 1. April 1957 sendete die BBC eine TV-Sendung über Sorgen Schweizer Bauern, weil die Ernte ihrer Spaghetti-Bäume so schlecht ausgefallen sei. Hunderte Zuschauer meldeten sich daraufhin mit der Frage, wie sie Spaghetti-Bäume anpflanzen könnten. Sie hatten den Aprilscherz nicht verstanden.

FOTOS

Jaimie Warren: 168, 212, 568, 685, 1306, 1362

Maak Roberts: 495, 952

Urban Zintel: 1044

Ramon Haindl: 425

Martin Eberle: 42

Silke Weinsheimer: 1236

Anne De Vries: 22, 354, 403

Thomas Mailänder: 853, 908, 1021

Linus Bill (aus dem Buch »Piss down my back and tell me it's raining«): 82

Johannes Kjartansson: 285

Hans-Jörg Walter: 544

Jesper Ulvelius: 775

Peter Sutherland: 1156

Tom Huber: 1288

Sannah Kvist: 1342

FÜR DIE RECHERCHE DER UNNÜTZES-WISSEN-FAKTEN, BILDREDAKTION, DOKUMENTATION UND SCHLUSSREDAKTION DANKEN WIR

Kristin Ahlring, Ji-Young Ahn, Patrick Bauer, Jan-Kirsten Biener, Heiko Bielinski, Mirko Borsche, Marc Deckert, Annabel Dillig, Sandra Eichler, Jakob Feigl, Christian Flierl, Heinrich Geiselberger, Claudio Gutteck, Paul-Philipp Hanske, Barbara Höfler, Niklas Hofmann, Matthias Kalle, Kathrin Hartmann, Enite Hoffmann, Sarah Illenberger, Dela Kienle, Tobias Kniebe, Christoph Koch, Kerstin Kullmann, Frederik Kunth, Marija Latkovic, Eva Lehnen, Christoph Leischwitz, Verena Lugert, Hedi Lusser, Sabine Magerl, Ingo Mocek, Jonas Natterer, Manuela Orth, Hannah Pilarczyk, Silke Probst, Klaus Raab, Jens-Christian Rabe, Franziska Reich, Sophie Rüdinger, Alexander Runte, Benedikt Sarreiter, Kai Schächtele, Susanne Schäfer, Meike Schnitzler, Jakob Schrenk, Vera Schroeder, Marc Schürmann, Dominik Schütte, Gunter Schwarzmeier, Kathrin Spirk, Carmen Stephan, Julia Stoll, Oliver Stolle, Sybil Tschopp, Christiane Wechselberger, Antje Wewer, Tobias Zick und Lisa Zimmermann.

Hier dreht sich alles um das Gedächtnis

Wie man sein logisches Denkvermögen in Hochform bringt

978-3-453-61502-1

Arthur Benjamin /
Michael Shermer
Mathe-Magie
*Verblüffende Tricks für blitzschnelles
Kopfrechnen und ein phänomenales
Zahlengedächtnis*
978-3-453-61502-1

Christiane Stenger
**Warum fällt das Schaf
vom Baum?**
*Gedächtnistraining mit der
Jugendweltmeisterin*
978-3-453-68511-6

Daniel Tammet
Elf ist freundlich und Fünf ist laut
Ein genialer Autist erklärt seine Welt
978-3-453-64040-5

»Sag mal, Aschermittwoch fällt dieses Jahr nicht aufs Wochenende, oder?«

978-3-453-60379-0

Die besten Geschichten kann man sich nicht ausdenken – die schreibt das Leben nämlich selbst. Und so muss man nur ein bisschen U-Bahn fahren, sich in die Supermarktschlange stellen oder im Café den Gesprächen am Nebentisch lauschen, schon wird man aufs Beste unterhalten. In der beliebten NEON-Rubrik »Deutsche Geschichten« erzählen jeden Monat Menschen, was ihnen so zu Ohren gekommen ist. Schräg, peinlich, wunderbar!

Die Welt in überwiegend lustigen Grafiken bei Heyne

Der Graphitti-Blog präsentiert witzige Grafiken,
die das alltägliche Leben, vor allem aber gefühltes
Wissen abbilden – Bücher zum pausenlosen
Nicken und Lachen!

978-3-453-60319-6

Katja Berlin / Peter Grünlich
Was wir tun, wenn der Chef reinkommt
Die Welt in überwiegend lustigen Grafiken
Das Beste vom Graphitti-Blog
978-3-453-60319-6

Peter Grünlich / Wanda Friedhelm
Wo wir benutztes Geschirr hinstellen
Männer und Frauen in
überwiegend lustigen Grafiken
Noch mehr Neues vom Graphitti-Blog
978-3-453-60316-5

Katja Berlin / Peter Grünlich
Was wir tun, wenn es an der
Haustür klingelt
Die Welt in überwiegend
lustigen Grafiken
Neues von graphitti-blog.de
978-3-453-60269-4

Katja Berlin / Peter Grünlich
Was wir tun, wenn der Aufzug
nicht kommt
Die Welt in überwiegend
lustigen Grafiken
Das Beste von graphitti-blog.de
978-3-453-60220-5

Leseproben unter **www.heyne.de**

90 Prozent aller Tierarten sind kleiner als ein Fingernagel

Unnützes und sehr nützliches Wissen von NEON

978-3-453-60102-4

NEON
Unnützes Wissen
978-3-453-60102-4

NEON
Unnützes Wissen 2
978-3-453-60177-2

NEON
Unnützes Wissen 3
978-3-453-60284-7

NEON
Unnützes Wissen 4
978-3-453-60363-9

NEON
Unnützes Wissen Fußball
978-3-453-60244-1

NEON
200 Tricks für ein besseres Leben
978-3-453-60136-9